THÉÂTRE

MARGUERITE YOURCENAR
de l'Académie française

Théâtre I

RENDRE A CÉSAR

LA PETITE SIRÈNE

LE DIALOGUE DANS LE MARÉCAGE

GALLIMARD

Rendre à César

PIÈCE EN TROIS ACTES

1961

HISTOIRE ET EXAMEN D'UNE PIÈCE

Rendre à César constitue la troisième présentation, dramatique celle-là, d'un roman paru d'abord en 1934, et dont la version définitive date de 1959 : *Denier du rêve*. Comme le roman, la pièce se situe, mi-réalistiquement, mi-allégoriquement, dans l'Italie fasciste de 1933, et relie entre eux des épisodes volontairement épars, ou plutôt posés de biais les uns à côté des autres, par la fiction d'une pièce de monnaie passant de main en main. Dans les deux cas, une affabulation politique, l'histoire d'un attentat manqué contre Mussolini, sert de centre à cette série de faits divers individuels, les uns rattachés de près à l'aventure principale, les autres étrangers à elle et réfractant tout au plus de la situation politique ce qu'en apporte une manchette de journal, un bout d'actualités filmées, ou une devise supposée tracée spontanément sur un mur de Rome.

Dans les deux cas aussi, l'auteur s'est donné pour règle de partir de silhouettes minces et banales comme le seraient celles d'une *Commedia* ou d'une *Tragedia dell'Arte* moderne (le médecin arriviste, la jeune vedette, le vieux peintre illustre, la prolétaire au grand cœur, la prostituée tendre ou l'étudiant quelque peu louche, caractérisés à peu près de même dans le roman et dans la pièce et désignés par les mêmes noms), pour aboutir, ou plus modestement, tenter d'aboutir à montrer dans ces créatures une réalité beaucoup plus complexe que l'étiquetage du premier coup d'œil et du premier jugement le fait croire, révélant derrière le personnage la personne, et derrière la personne l'implicite allégorie ou le mythe caché auxquels à son tour la personne correspond. Dans les deux cas enfin, Rome est à la fois la Rome de l'An XI du fascisme et la Ville Éternelle, ce qui revient à dire n'importe quelle grande ville aussi bien que Rome.

Ces thèmes si souvent quittés, puis repris, cette longue fréquentation avec quelques êtres imaginaires nés de rencontres ou d'expériences d'il y a près de quarante ans demandent, semble-t-il, quelque explication, du moins pour le peu de lecteurs qu'intéresse le problème de la création littéraire elle-même. La valeur intrinsèque du produit, bien entendu, n'entre pas en cause, non plus que sa cote présente ou future. Je vois même un certain avantage à ce qu'il s'agisse d'une œuvre qui sous sa forme romanesque a été jusqu'ici assez peu lue, et qui ne revient pas, pour ainsi dire, à son auteur, revêtue d'une patine qu'ont déposée sur elle de multiples contacts successifs avec les critiques et les lecteurs. Mon but est d'offrir aux rares personnes qui souhaiteraient les posséder ce genre d'informations que j'ai moi-même souvent désiré avoir sur des œuvres qui m'avaient plu, ou, au contraire, déconcertée. D'où viennent ces personnages et ces incidents, choisis, comme ils le sont tous, dans l'immense série des personnages et des incidents possibles? Quelles règles de jeu l'auteur a-t-il adoptées, ou a-t-il décidé d'enfreindre? De quelle sémantique, personnelle ou non, relève le langage qu'il a voulu ou dû employer? Comment s'est passée, enfin, puisqu'il s'agit d'une pièce, cette représentation à bureaux fermés que l'auteur se donne à lui-même, et qui ne sera peut-être jamais suivie d'aucune autre? Le créateur n'est certes pas toujours renseigné sur les intentions qui l'ont dirigé au départ, pas davantage sur les décisions prises en cours de route le plus souvent sans s'apercevoir qu'il les prend. Il est pourtant un intervalle, d'ordinaire très court, entre l'achèvement d'un ouvrage et le moment où l'auteur se tourne vers autre chose, durant lequel ce dernier perçoit avec une relative netteté la manière dont son œuvre s'est organisée en lui. C'est de ce moment que je voudrais profiter.

Les personnages du roman de 1933, dessinés par moi d'un trait assez mou, forcé ici et incertain là, avaient en bonne partie leurs modèles vivants, les uns trouvés sur place à l'époque où ce premier texte fut mis sur pied dans un hôtel de Ravenne, d'autres, au contraire, rencontrés au cours de précédents séjours en Italie et soumis déjà aux retouches du souvenir. Don Ruggiero évoquait la silhouette un peu hagarde d'un propriétaire ruiné aperçu vers 1925 dans la campagne napolitaine. Marcella portraiturait la femme en rupture de ban d'un jeune médecin du parti, fille elle-même d'un humble militant anarchiste : presque tout ce qui la concerne, sauf le thème central de l'assassinat politique, avait été emprunté à l'authentique Marcella A... de 1925, et encore je ne suis pas sûre qu'à l'assassinat politique cette jeune femme indignée n'ait pas quelquefois pensé. Rosalia sortait d'un fait divers déjà ancien du *Corriere della Sera* racontant le suicide à Rome d'une vieille demoiselle. Le brutal renvoi de Luca par la mère Dida s'inspirait d'une scène criée et hurlée devant moi en piémontais près de dix ans plus tôt, l'éviction d'un vagabond indigent et quelque peu sénile par une vieille paysanne, sa compagne d'autrefois, approuvée et soutenue par les enfants du couple. J'étais fort jeune alors, et cette sauvage expulsion avait été, pour une adolescente déjà préoccupée de la dureté des riches, le premier exemple, inoubliable, de la dureté des pauvres. Les propos de cette même paysanne discourant, non sans une sorte de poésie verbeuse et confuse, du monde comme il va, ont servi de modèle aux ruminations de Dida devant sa corbeille à fleurs. Carlo Stevo et son milieu étaient esquissés d'après un groupe de réfugiés antifascistes installés en Suisse dans les années 30, et que je retrouve assez souvent dans mes projets romanesques de ces années-là. Des amis italiens ont cru plus tard pouvoir mettre sur les personnages de ce groupe leurs vrais noms; en fait, ce type de protestataires à la fois imprudents et timides, flottant entre le libéralisme et l'anarchie, a dû être assez fréquent à l'époque, et je n'avais guère que l'embarras du choix pour les êtres réels à partir desquels inventer.

Je n'ignore pas que ces clefs anecdotiques ouvrent souvent de fausses portes, et précisément celles devant lesquelles le lecteur naïf aime à piétiner. On aurait tort, pourtant, de nier l'énorme importance des apports extérieurs dans toute création romanesque : tout se passe comme s'il existait chez le romancier des forces — je dirais presque des entités — qui pour prendre forme attendent un support ou le choc d'une rencontre, une possibilité de se greffer, dirait-on, sur un être ayant existé. L'étrange, néanmoins, est que ces apports indispensables se bornent à si peu de chose : le modèle très présent d'une jeune militante italienne n'a pas empêché que la Marcella du roman, et plus tard de la pièce, ne se soit développée sur des lignes différentes, dans ses rapports amoureux ou amicaux avec les hommes de son choix, dans son ampleur de forme et sa lenteur un peu lourde, sa simplicité irréductible jusque dans les grands moments de la vie et de la mort — et le peu qu'elle tient de moi n'explique pas davantage qu'elle soit devenue ce qu'elle est. Clément Roux sort inexpliqué d'une espèce d'humus intérieur, un peu dieu créateur accablé par la tristesse de sa création, un peu vieil homme bienveillant atteint d'une pointe de gâtisme. Je vois bien que le souvenir de mon père a pu inspirer en partie les deux portraits de vieillards de *Denier du rêve*, Clément Roux et Don Ruggiero (ce dernier d'ailleurs à peu près absent de la présente pièce), mais rien n'explique que l'image paternelle se soit scindée en deux personnages très différents l'un de l'autre, ni que l'introduction des thèmes du génie artistique, de la sénilité et de la folie les aient entraînés finalement si loin de l'être réel à partir de qui ils ont été comme tangentiellement créés. Alessandro et Massimo ressemblent à deux ou trois douzaines d'intellectuels sûrs de soi ou de mélancoliques jeunes rêveurs rencontrés par moi vers cette époque, les uns lancés sur la pente de l'arrivisme, les autres abandonnés aux facilités de l'aventure : ils ne sont ni l'un ni l'autre tel individu particulier que je puisse identifier et nommer.

La psychologie moderne tend à expliquer le foisonnement des personnages et des incidents du rêve, si proche dans certains cas de celui de la littérature, par l'effet de je ne sais quel jeu de cache-cache du dormeur avec ses souvenirs. Si l'explication vaut quelque chose, elle vaut aussi pour la création littéraire. Probante sur bien des points, elle n'explique pourtant ni l'ingénieuse composition du rêve et de l'invention romanesque, ni la luxuriance de leur matériel humain, infiniment plus riches et plus variés que les résidus quasi excrémentiels d'un individu et d'une vie. Encore moins rend-elle compte de l'extraordinaire désinvolture avec laquelle le dormeur ou le romancier associe, *comme en se jouant*, personnages et péripéties de son passé personnel, traités par lui, semble-t-il, comme un simple matériau dont il use pour les besoins de son œuvre. *Unum ego et multi in me :* la fonction du créateur littéraire d'une part, et de l'autre du dormeur qui rêve, semble être de tirer de la glaise indifférenciée dont nous sommes tous faits des personnages reliés à lui, certes, par des sympathies ou des antipathies assez vives pour qu'il tienne à leur donner forme, placés, dirait-on, à l'intérieur du même champ magnétique hors duquel ses pouvoirs n'agiraient plus, mais gardant en présence de leur auteur ou de leurs modèles un écart qui témoigne de leur liberté propre, ayant acquis ce caractère unique et imprévisible qui distingue et sacre pour ainsi dire tout vivant.

Du point de vue formel, *Denier du rêve* représentait un nouveau départ après le strict régime du récit à la française auquel je m'étais mise sitôt abandonnés les grands projets de la vingtième année. Je rêvais cette fois d'une forme mi-lyrique, mi-narrative, accueillante à toute la variété des faits et gestes, mais capable également de rendre avec fidélité le chant profond des personnages et le sourd accompagnement onirique et mythique qui soutient celui-ci. Cette ambition de ne rien laisser perdre, ni des aspects extérieurs des êtres, des faits, ou des choses, ni de leur charge poétique propre, m'amena, dans le roman de 1933, et presque aussitôt après dans *Feux*, à faire appel à toutes les ressources de la métaphore, du raccourci axiomatique, de l'aria et du cri. J'ai dit ailleurs les vertus que je continue à trouver à ce genre d'expressionnisme lorsqu'il s'agit d'exhaler l'émotion poétique sous sa forme la plus subjective. Je n'aurais pu, à l'époque, écrire *Feux* autrement, ni ne souhaite maintenant l'avoir fait. Dans *Denier du rêve*, ce parti pris lyrique aggrava au contraire les insuffisances du romancier placé pour la première fois, sans écran aucun, en face de l'actualité, non seulement du siècle, mais du millésime. Ce *bel canto* si proche de l'opéra italien et des courbes véhémentes du baroque romain, il eût fallu, pour l'associer aux allées et venues des personnages dans la Ville Éternelle de 1933, des habiletés techniques que je ne possédais pas. Relu des années plus tard, le roman m'irrita par ses transitions maladroites entre lyrisme et vérisme, par la gaucherie du dialogue ou sa stylisation excessive, par le commentaire poétique trop souvent mis indiscrètement à la place du détail convaincant et juste. Ce fut pour remédier à ces défauts et à ces lacunes que je réécrivis en 1959 ce roman dont les principaux thèmes continuent à me tenir à cœur.

Ce texte de 1933 envers lequel je suis justement sévère avait été cependant bien reçu par la plupart des critiques, faciles comme ils le sont toujours envers un écrivain qui en est encore à l'âge des promesses. Le livre n'eut toutefois qu'une poignée de lecteurs et n'en méritait pas plus, mais quelques-uns au moins m'apportèrent l'assurance, certainement bienfaisante, qu'un petit nombre de personnes entrevoyaient ce que j'avais tenté de faire, et m'aidaient à le percevoir moi-même. « J'aime ces personnages reliés entre eux par des liens à la fois si forts et si ténus, comme dans la vie », m'écrivit une lectrice bienveillante, et cette remarque fut de celles qu'un écrivain jeune accepte comme définissant après coup ce qu'il a plus ou moins obscurément voulu signifier. Beaucoup plus tard, un critique italien voulut bien trouver du mérite à cette évocation de l'Italie de 1933, et ce fut ce partiel éloge qui me donna le courage de reprendre et d'améliorer l'ouvrage, non sans en avoir au préalable éliminé les deux tiers. Si je note tout cela, c'est que, contrairement à l'opinion de la plupart de mes contemporains, je considère un livre, même le plus personnel, comme une œuvre en partie collective : tout ce qui est en nous y entre, mais aussi tout ce que nous avons entrevu ou deviné, les livres lus et les voyages faits, l'observation d'autrui autant que les expériences traversées par l'écrivain lui-même, les notes marginales du correcteur d'épreuves, les lecteurs, amis ou hostiles. Nous sommes tous trop pauvres pour vivre uniquement des produits de ce lopin d'abord inculte que nous appelons moi.

Il y eut pourtant quelques exceptions à la bonne volonté de la critique de 1934, et dans deux des cas la politique plus que la littérature en fut cause. A une époque où la poudre aux yeux fasciste aveuglait la plupart des observateurs étrangers, d'ailleurs souvent tout prêts à importer dans leur propre pays ce genre d'aventure, ce mince roman traduisait chez son auteur un point de vue différent et alors peu en vogue. Mes quelques séjours en Italie entre 1922, où j'assistais, âgée de dix-neuf ans, à la Marche sur Rome, et 1933, peu de mois avant la première visite d'Hitler à Mussolini et l'éclatement du conflit éthiopien, avaient eu leurs effets sur un esprit pourtant peu politisé. J'avais subodoré l'atmosphère de lâcheté, de compromis ou de prudents silences, d'une part, de grossier abus de force, d'arrivisme mis en appétit, de platitudes démagogiques accolées aux réalités de l'arbitraire de l'autre, qui est, ou finit par être, l'air irrespirable de toutes les dictatures, avec toutefois je ne sais quel relent de conformisme bien-pensant et nanti plus sensible dans toute aventure de droite. Tout cela ne perçait que confusément dans le roman de 1933, où les circuits de la révolte, et ceux de l'opportunisme et de la peur n'étaient encore que peu visibles sous l'épais vernis romanesque et littéraire. Ils l'étaient pourtant assez pour irriter ceux qui de loin confondaient les parades dans la rue avec l'ordre établi et la faconde des haut-parleurs avec les réalisations d'un régime. Un critique de province parla « de l'accompagnement en sourdine du vieil accordéon nihiliste »; plus hardi, et si j'ose dire plus fragrant dans ses métaphores, un critique parisien réputé à l'époque, et qui eut avec moi une entrevue où il est trop clair que nos opinions et nos tempéraments s'affrontèrent irritablement, termina son article par la phrase suivante : « Quand la dernière tinette de la liberté aura été vidangée et que la France sera entrée dans l'ère de la discipline, ce roman sera, dans le musée des idées, à côté d'autres vestiges plus importants, un joli petit échantillon féminin de liberté romanesque et cérébrale. » Laissant de côté le jugement sur la valeur du roman, dont il eût été facile de montrer les insuffisances, il m'arriva parfois de me demander si ce critique, quelques années plus tard, s'est réjoui d'assister aux opérations de vidange qu'il souhaitait, et n'avait peut-être pas imaginées si intensives, ou si les événements le firent changer d'avis sur la valeur de la liberté, cérébrale ou non.

En 1961, moins de deux ans après la publication, fort discrète, de la version définitive de *Denier du rêve*, un directeur de théâtre me pria de dramatiser un de mes livres. Ce texte encore tout chaud me parut se prêter à cette tentative. La refonte de ce court roman m'avait demandé plusieurs mois d'un travail exaltant et épuisant qui risque trop souvent d'être pris par le critique et le lecteur pour un rapetassage au lieu de la remise en question et de l'affrontement avec soi-même qu'il est en effet. La composition de *Rendre à César* ne présenta plus guère au contraire que des problèmes formels, s'il en est qu'on puisse complètement définir ainsi. Quand j'envoyai la pièce terminée à l'amical directeur, celui-ci, comme il eût peut-être fallu s'y attendre, se trouvait déjà sans compagnie et sans fonds. Mais peu importait : je lui dois cette expérience qui consiste à passer pour un sujet donné de la forme romanesque, dans laquelle l'auteur n'accorde que çà et là à ses personnages l'aubaine d'un monologue ou d'un dialogue, à une forme dans laquelle ces mêmes personnages occupent toute la scène, et relèguent dans le trou du souffleur l'auteur remis à sa place.

Comme naguère la première partie du roman, le premier acte de *Rendre à César*, volontairement dissocié, est fait des soucis, des préoccupations, des routines d'une dizaine d'êtres se croisant dans les rues de Rome, solitaires reliés entre eux seulement par les plus minces ou les plus fortuits des liens, par des nœuds déjà rompus ou des rapports à peine formés. Une fois encore, ma tâche consistait à dégager peu à peu de cette sourde symphonie d'inquiétudes le thème de l'angoisse politique présent seulement chez quelques individus plus sensibles ou plus concernés; j'ai tenté de le faire à l'aide des indications les moins appuyées : anxiété d'un jeune étranger s'informant de l'arrivée des journaux du soir; prudente conversation au téléphone interrompant les propos, d'une banalité professionnelle, qu'un médecin tient à ses malades; hésitations de ce même médecin craignant de se rendre chez la femme qui l'a quitté et qu'il aime encore, parce que celle-ci est politiquement compromise; jérémiades égoïstes d'un petit-bourgeois gêné de tenir de près à un suspect. Conversement, j'ai cherché à ce que la même atmosphère d'indéfinissable malaise se dégageât, par contraste, de la totale indifférence aux nouvelles politiques chez la petite prostituée qui préfère les nouveautés du cinéma, de la satisfaction qu'éprouve à s'étiqueter « membre du parti » un avocat de province malchanceux dans sa vie conjugale, ou de la fade pitié d'une personne très bien plaignant discrètement un condamné. Ces faibles bruits peu perçus dans le tumulte de Rome servent de fond sonore au soliloque de Marcella projetant l'attentat auquel elle sait ne pas devoir survivre, puis à la méditation du modeste prêtre qui ose se demander humblement si les hommes ne rendent pas à César plus qu'il n'est dû à César.

A cet acte défait en succède un autre bouclé sur soi-même, étroitement enclos à l'intérieur du mesquin logis de Marcella. Paradoxalement, tandis que les scènes du premier acte ont été, ou créées de toutes pièces, ou recomposées à partir d'épisodes presque imperceptibles dans le roman ou filant sur d'autres lignes, les quatre ou cinq scènes qui constituent l'acte central, beaucoup plus fidèles aux conventions du théâtre, sont prises presque textuellement à la partie médiane du roman lui-même. C'est d'ailleurs cette présence dans *Denier du rêve* d'une sorte de noyau dramatique qui m'avait incitée à en tirer *Rendre à César*. Cet engrenage de scènes dont les entrées et les sorties tombent au moment voulu, ces affrontements ou ces duos dans la haine ou les sous-entendus de l'amour, ces secrets soudain révélés, changeant la face d'une situation, et jusqu'à la vieille astuce qui consiste à cacher quelqu'un derrière une porte close, appartiennent à coup sûr aux procédés les plus défraîchis du théâtre. Mais osons dire que les moments de crise, où semblerait devoir régner une sincérité absolue, sont souvent ceux durant lesquels la vie imite absurdement les exagérations de la scène. Cela est vrai surtout, bien que moins qu'on ne le croie d'ordinaire en France, de la vie italienne; cela est vrai principalement, et par tous pays, des petits groupes subversifs chez qui la présence très réelle du risque, le flottement perpétuel entre la délation et la loyauté, la surenchère héroïque, et une excitation à laquelle le danger même sert d'aliment, finissent par introduire une sorte de jeu au cœur des tensions les plus authentiques.

Il fallait que Marcella fût successivement atteinte par les insultes d'une femme qu'elle méprise, mais qui la blesse dans son besoin très féminin d'être moralement impeccable, par l'annonce de la défection, puis de la mort d'un homme qu'elle vénère, par la découverte du jeu double d'un complice aimé et de l'inquiétante demi-complicité du mari qu'elle croyait haïr, et que ces chocs presque mélodramatiques, derniers assauts du monde sur un être qui se supposait déjà hors d'atteinte, alternassent avec ce dangereux moment de détente, ce demi-abandon à une tendresse sans issue remplissant pour elle l'inévitable creux qui se forme avant tout acte à accomplir. Il fallait que Massimo cru absent demeurât sur place comme dans quelque jeu de scène de *commedia dell'arte*, tout comme il restera presque jusqu'au bout présent dans la pensée de Marcella, dernière forme du pauvre amour. Il fallait qu'Alessandro devinât grâce aux plus minces indices l'attentat que sa femme se propose d'accomplir, prouvant ainsi combien reste intime la connaissance qu'il a d'elle, et qu'il en acceptât l'idée avec la facilité qu'on a dans les rêves, se découvrant du coup des velléités de subversion qu'il ne soupçonnait pas. C'est d'eux-mêmes que ces incidents intérieurs, tantôt précipités, tantôt anormalement étirés dans le temps, s'organisent dans le sens des péripéties du théâtre et des séquences oniriques. L'échange du billet de dix lires contre un revolver volé est caractéristique de cet ordre d'incidents à la fois fabriqués et inévitables comme ceux des songes.

Le décor même de l'acte central, l'arrière-boutique coincée et comme surplombée par les immeubles de Rome, contraste avec celui des lieux publics qui suivent ou qui précèdent, une église, un cinéma, un cabinet de consultation, ou tout simplement des rues. Ces deux chambres presque dérisoirement exposées au regard sont des cryptes où germent dans le noir des idées proscrites au grand jour. Je m'étonne des décisions presque infaillibles de l'imagination livrée à elle-même, quand je m'aperçois que, sans aucun souci de symbolisme (celui-ci ne se laissant d'ordinaire dépister qu'après coup et une fois l'œuvre accomplie), j'avais choisi parmi les pauvres locaux pouvant servir d'abri à Marcella la boutique d'un marchand de graines. Le fait que Carlo Stevo emplit ces deux pièces de sa présence insistante de nouveau mort justifie d'autre part l'image de la séance spirite employée par Massimo lors de l'entretien autour de la table de cuisine. Les accessoires de la vie journalière, les gestes mesquins de la visiteuse qui se dégante ou se poudre le visage, l'entrée du visiteur en tenue de soirée et qui se rend à une réception officielle servent à rehausser par contraste l'aspect à la fois secret et agressivement familier de ce local subversif. La petite-bourgeoise trop bien mise et le médecin sûr de son fait font pour un moment figure de transfuges; ils se risquent dans un monde régi par d'autres lois.

Le troisième acte, éparpillé comme l'était le premier, est une messe des morts célébrée tour à tour par ces deux officiants tantôt distraits et tantôt bouleversés que sont Alessandro et Massimo, et auxquels ne répondent çà et là que des voix indifférentes ou faiblement émues. Le cinéma, où Alessandro dans l'obscurité prend avec Angiola un plaisir qui dans les circonstances est plus ou moins consciemment sacrilège, est la caverne des ombres; l'interminable promenade de Massimo et de Clément Roux dans les rues vides est une descente aux enfers. Le milicien et la Dame du Café tiennent des propos excités qui semblent déjà ceux de la radio du lendemain; le dictateur, après s'être remémoré presque amicalement les parents de Marcella, témoins de ses débuts difficiles, s'apprête à utiliser l'attentat manqué à des fins de propagande. Les deux vieillards, Dida et Clément, flairant de plus près la mort, s'apitoient moins sur une inconnue qu'ils n'entonnent un *De profundis* sur eux-mêmes. Massimo s'aperçoit que Carlo Stevo n'est déjà plus qu'un nom classé une fois pour toutes par Clément Roux, qui de son côté se plaint qu'on en fasse autant pour lui. La « grotesque veillée funèbre » débouche sur la vie qui recommence avec le petit prêtre récitant l'office du matin, avec les divagations de Marinunzi, procréateur ivre, avec Massimo qui fait sa valise, emportant au milieu du bagage désordonné de la jeunesse l'acquis permanent d'un souvenir.

En réécrivant *Denier du rêve*, j'avais remplacé çà et là la narration et les commentaires de l'auteur par des soliloques de personnages eux-mêmes. Ces passages monologués se sont, comme il fallait s'y attendre, multipliés dans *Rendre à César*. Ils y prennent presque le contrepied du monologue intérieur qui a débordé de nos jours du roman à la scène et dans lequel le soliloquiste enregistre les impressions extérieures et les élans internes sans les diriger ou les contester jamais. Presque également éloignés de cet exposé rationnel qu'est neuf fois sur dix le monologue classique coulé plus ou moins dans la forme du discours, ils se bornent à essayer de nous faire assister au tri perpétuel opéré par l'esprit, à l'acte par lequel chacun de nous choisit de moment en moment, et si vite qu'il est rarement conscient de le faire, accepte ou rejette un commencement de volition, une impression ou un souvenir, dit oui ou dit non.

Un tel monologue est poétique par saccades, mais ne comporte jamais le grand flot lyrique de la tirade destinée à convaincre, à entraîner, à désarmer ou à confondre quelqu'un qui n'est pas nous. Son degré de lucidité dépend bien entendu de celui du personnage qui parle : chez les uns, effort pour penser à contre-courant, observation quasi désintéressée, parfois aussi assertion presque désespérée du moi, ou encore exhortation ou reproche que soi fait à soi-même (et dans ce cas le personnage dit *tu* et réamorce un dialogue sur le plan intérieur); chez d'autres, surtout chez les plus simples, mouvement spontané qui tient le milieu entre la ratiocination et la danse, torrent qui se soucie peu qu'on l'entende jaillir ou gronder. Marinunzi ivre, Dida marmonnant dans la nuit terrible sont seuls, mais ne parleraient guère autrement, l'un à des compagnons de boisson, l'autre à la tribu familiale assemblée dans la cuisine. Le chant profond d'Alessandro, de Massimo ou d'Angiola, au contraire, qu'ils soient seuls ou non, demeure essentiellement incommunicable; son contenu est moins fait de ce qu'on cache à autrui, comme dans l'aparté classique, que de ce qu'autrui de toute façon n'entend pas. Clément flânant dans Rome régurgite pour soi ses souvenirs; près de ce Clément qui n'écoute pas, Massimo s'avoue en toute liberté.

Angiola et Alessandro ne trouvent à s'adresser que les propos banals et gênés du monsieur et de la dame qui par savoir-vivre conversent en gagnant la sortie du cinéma; leurs soliloques muets dans la loge auront été leur duo d'amour. Lina commentant les étalages du Corso est une petite fille réduite à se distraire toute seule; l'aisance des paroles montant librement d'elle-même contraste avec sa maladroite insistance d'amoureuse, ses gauches questions de malade au docteur Sarte et son bagout conventionnel de petite putain. Paolo Farina méditant lourdement sur sa mésaventure conjugale se juge, ce dont on n'aurait pas cru capable ce gros monsieur mangeant un sandwich. Je vois, certes, le problème que créera, si jamais cette pièce est portée à la scène, non le monologue de l'acteur solitaire qui ne demande qu'une virtuosité que beaucoup possèdent, mais le monologue inséré au cours d'une conversation. L'essentiel en pareil cas est que l'acteur qui se tait n'ait pas l'air d'entendre les propos de l'acteur qui parle, ni de s'étonner de son prétendu silence, enfoncé qu'il est dans cette occupation si chère à nous tous, qui est de ne penser qu'à soi-même.

Les échanges verbaux quasi automatiques de la vie journalière sont dans *Rendre à César* l'équivalent de la pièce de monnaie passée de main en main. L'humble colloque entre Giulio et Rosalia, aussi réservé que le langage des cours, n'exprime du parfumeur et de la vieille fille que ce qu'autorise leur notion des convenances, c'est-à-dire presque rien. Giulio, qui vend, et Lina, qui achète, alternent des répons autour d'un bâton de rouge à lèvres. Le Père Cicca, qui brûle de consoler et de sauver ses ouailles, ne trouve à offrir à Rosalia qui rentre chez soi pour mourir qu'une remarque sur le temps qu'il fait. Les circonspectes platitudes du cabinet de consultation bouchent autant que possible la vue sur la mort. Même les échanges dits passionnels ont leurs formules usées et leur relent de littérature, et l'artificialité des propos croît au lieu de décroître quand la confrontation tourne à la scène tout court. Giovanna n'a à sa disposition que son vocabulaire petit-bourgeois d'une bienséance presque grotesque, que supplémente, dans la colère, une grossièreté également empruntée, mais cette fois à la rue et au marché. Elle rend tout trivial, même son malheur pourtant authentique. Alessandro, lucide à l'excès dans l'examen de conscience, entre chez Marcella bardé des lieux communs de la désinvolture; ces clichés d'homme d'ordre et d'homme au courant provoquent chez sa femme des poncifs de gauche exprimés faute de mieux en terme d'école primaire. Marcella, si probe et si simple, rentre avec Giovanna dans les vulgarités d'un attrapage féminin; elle retombe un instant, près d'Alessandro, à l'époque où elle se mettait au pas d'un mari lancé dans le monde de l'argent et des élégances faciles. Massimo, mieux servi par un reste de bonnes manières, cède sans cesse à la tentation d'étonner ou de plaire qui est de son tempérament et de son âge : il y a en lui un acteur dont parfois il rougit lui-même.

Les moments de vérité profonde qui se produisent à travers tout cela ne coïncident que rarement entre deux personnages : quand Massimo, révélant timidement à Marcella le reste d'une ferveur religieuse passée ou le germe d'un évangélisme à naître, fait allusion à un monde « où le Règne arrive », ce bout de phrase qui, pris au sérieux, éliminerait d'une part l'attentat politique et la dictature de l'autre, n'obtient pour réponse qu'un lieu commun d'amoureuse. Plus tard, Massimo, préoccupé surtout de héler un taxi, n'entend même pas, parmi les radotages de Clément Roux, quelques mots dont la spiritualité l'eût ému s'il les avait trouvés dans les poètes qu'il aime, dans Rilke ou dans Carlo Stevo. C'est rarement, brièvement, durant les quelques propos échangés comme après coup entre Marcella et Alessandro sur le seuil de la porte, ou entre Marcella et Massimo dans la chambre sans lumière, que, par-delà l'hostilité, la méfiance ou le désir, une sorte d'affectueuse trêve s'établit où chaque parole prend enfin un son authentique. Mais ces mots sont déjà tout près d'être du silence.

Datant d'une époque où les anciens mythes grecs, et les entités oniriques plus anciennes encore, étaient pour moi des fréquentations journalières, le premier *Denier du rêve* témoignait presque à chaque page de l'obsédant besoin de mettre sur tout geste ou tout visage son analogue mythologique, de faire entrer de force l'actualité dans un monde placé hors du temps et comme intériorisé. La méthode a ses vertus à un certain stade : elle nous apprend à rendre aux individus et aux actions de ceux-ci la dignité que notre malveillance leur refuse ou la profondeur que notre superficialité ne sait pas voir. Du seul point de vue littéraire, pourtant, ces rapprochements par trop soulignés (et favorisés, bien entendu, dans ce roman par le décor de Rome) tendaient à immobiliser le récit en une sorte de gauche hiératisme. Ils ont à peu près complètement disparu du *Denier du rêve* de 1959. A plus forte raison sont-ils absents de *Rendre à César*. Le mythe antique n'en demeure pas moins sous-jacent à la pièce, comme ces vestiges archéologiques encore couchés çà et là dans le sous-sol de Rome. Il importe peu, néanmoins, que le lecteur ou le spectateur sache ou non que Dida, qui en présence de la Dame du Café n'est qu'une pauvresse qui a peur de déplaire, est aussi la Mère Terre ou l'immémoriale Sibylle, et pas davantage que Massimo errant dans la nuit soit tout ensemble Hermès conducteur des Ombres et cet Arlequin de la comédie italienne qui fut d'abord le sombre Hölle-König des légendes du Moyen Age. Il est avant tout ce garçon à la fois léger et inquiet, traversé du fond de son indignité présente d'agent double par les premières intimations d'une vérité qui n'est pas tout à fait de ce monde. Marcella est peut-être Némésis ou Méduse : elle est surtout une femme indignée.

J'en dirais autant du thème de l'argent passant de main en main, introduit d'abord, je le soupçonne, pour lier entre eux des épisodes plus éparpillés qu'ils ne le sont aujourd'hui, mais bientôt devenu pour l'auteur le perpétuel rappel des échanges quasi mécaniques dans lesquels s'use une partie de nos vies. Avant de contester ou d'accepter ce symbole, avant d'y faire entrer, comme Massimo, l'image de Judas et de ses pièces d'argent, ou, comme le Père Cicca, de la dîme due à César, avant d'insérer à l'intérieur du simple troc la notion de rite propitiatoire ou sacrificiel qui s'y cache ici pour chaque personnage, peut-être faut-il se demander combien de fois chaque jour le passage d'une pièce de monnaie ou d'une coupure (qui ne sont elles-mêmes que les ersatz des espèces véritables) se fait de main en main sans qu'aucun rapport authentique ne s'établisse entre les deux êtres ainsi rapprochés, et combien de nos échanges se bornent en tout et pour tout à ceux-là.

Quoi qu'il en soit, il semble bien que l'allégorie, l'allusion au mythe, le glissement du monde réel au monde onirique, plus ou moins inhérents à tout texte littéraire, soient surtout visibles dans des œuvres de genre non tranché comme celle-ci, où le pathétique et le tragi-comique supplantent sans cesse le tragique pur, et où subsiste entre les faits une sorte d'interstice de jeu. Jeu qui n'implique pas l'absence de réalisme, au sens courant et presque pittoresque du mot, non plus qu'au sens scolastique du terme. Si j'avais à m'adresser au très éventuel metteur en scène de *Rendre à César*, je lui conseillerais, non de souligner ces thèmes oniriques ou mythiques qui se font et se défont comme s'allument ou s'éteignent des phosphorescences dans un terrain trop riche en matières décomposées, mais d'insister plutôt sur les représentations de sons, d'objets, de visages choisis pour des raisons souvent cachées à l'auteur lui-même, et devenus pour lui, comme dans le rêve, significatifs par leur seule présence. Du côté auditif, sur le français un peu débraillé de Clément Roux ou le français presque trop pur de Massimo, reçu d'une mère russe qui est antiquaire à Vienne; sur la gouttelette acide qu'est l'admixtion d'une voix de touriste anglaise ou l'anglais pour manuel de conversation qu'Alessandro et Angiola utilisent comme on met un masque, puis sur une prière en slavon d'Église, insolite sur une place de Rome. Je mettrais en évidence, sur certains visages, la bizarrerie de la beauté. J'appuierais sur le caractère déconcertant des modes démodées, n'ayant pas encore acquis la fausse dignité du costume historique, sur l'importance d'un plat de braises ou d'une corbeille de fleurs ficelées pour la vente et l'achat, d'une veilleuse ici, et là d'une torche électrique, d'un complet sur un cintre, de bottes dictatoriales rangées près d'un lit, d'une fiasque renversée répandant du sang sur la scène, sans craindre de tomber parfois dans ce saugrenu qui est le petit côté de l'étrange.

Parmi les rapports si complexes qui se forment pour chaque œuvre entre auteur et personnages, ceux qui m'émeuvent le plus, dans *Rendre à César*, sont tributaires du passage du temps. Lorsque j'inventai ces quelques êtres imaginaires, étroitement confinés à l'intérieur du tour et demi d'horloge qui va du 20 avril 1933 vers midi au 21 vers six heures du matin, ces créatures (sauf Rosalia et Marcella) avaient devant elles comme nous tous leur part plus ou moins longue de l'opaque et imprévisible avenir. De cet avenir, j'ai maintenant vécu trente-sept ans. Je me dis parfois qu'il vaudrait la peine de suivre au moins quelques-uns de ces personnages durant tout ou partie de ces trente-sept années, d'indiquer où et comment ils ont fini leur route, et, dans le cas de ceux qui, à la rigueur, pourraient encore bénéficier d'un sursis, où ils se trouvent et ce qu'ils font. Trop d'autres projets ont priorité sur celui-là pour que je puisse sans doute le réaliser; quelques noms de lieux, quelques dates placées à la fin du volume sous la rubrique *État Civil* permettront peut-être à certains lecteurs de rêver à ce qu'eût été cette rallonge. Mais je tenais à mentionner cette récurrente velléité, ne fût-ce que pour montrer combien sont durables, et prolongés bien en deçà et au-delà de l'œuvre elle-même, les liens qui rattachent certains écrivains à leurs créatures.

Décembre 1970.

PERSONNAGES DANS LEUR ORDRE D'ENTRÉE EN SCÈNE

(Les personnages en petit caractère sont des comparses qui n'ont à dire que deux ou trois lignes; les personnages en italique sont muets.)

LINA CHIARI.

PAOLO FARINA.

CLÉMENT ROUX.

GIOVANNA STEVO.

Giuseppa Lovisi.

Un milicien (Tommaso).

Un marchand de journaux.

ANGIOLA FIDÈS.

Un garçon de café.

LA MÈRE DIDA.

MAXIME IAKOVLEFF (MASSIMO).

Quelques malades du docteur Sarte.

LE DOCTEUR ALESSANDRO SARTE.

GIULIO LOVISI.

LE PÈRE CICCA.

ROSALIA DI CREDO.

Un enfant de chœur.

Miss Jones.

MARCELLA ARDEATI.

Quelques fidèles.

Un mendiant.
Quelques spectateurs.
L'ouvreuse.
Un spectateur.
Un officier.
Quelques gardes.
LA DAME DU CAFÉ.
Un chauffeur.
Un personnage haut placé.
LA VOIX DU POÈTE.
LA VOIX DU DICTATEUR.
ORESTE MARINUZI.

(La scène se passe à Rome du 20 au 21 avril 1933, l'An XI de l'ère fasciste.)

ACTE I

SCÈNE I

La terrasse d'un café. La lumière a une qualité de plein jour.

On n'aperçoit d'abord que Paolo Farina et Lina Chiari assis à une table de café. Lina parle vite, haut, plaintivement, et avec affectation.

LINA : Je ne dis pas qu'un billet de cent lires, c'est trop peu; je dis : c'est peu de chose. Évidemment, tu ne viens qu'un jour par semaine; le reste du temps, je me débrouille comme je peux pour gagner ma vie. Mais tout de même, tous les lundis, tu t'amènes de Pietrasanta, et tu ne repars que le mardi par l'accéléré de onze heures dix-sept. Réglé comme une montre. Ce n'est pas que je me plaigne; on va au café; tu me paies le cinéma; quand il fait beau, on se promène nous deux à la Villa Borghèse. Enfin, pour moi, c'est comme qui dirait jour férié, et comment je fais pour vivre, les six autres jours, tu t'en moques. Tu n'es pas si regardant avec ta belle-sœur.

PAOLO : Laisse ma belle-sœur tranquille, Lina.

LINA : Et comment! Cette grande perche qui vend des cierges et des saintes vierges de plâtre à Sainte-Marie-Mineure! Entre elle et toi, on comprend que ta femme soit partie sans crier gare.

PAOLO : Laisse ma femme tranquille, Lina. Et puis, parle un peu moins haut; les gens entendent.

LINA : Quelles gens? On est presque seuls. *(La lumière*

éclaire successivement des personnes assises à d'autres tables : Clément Roux devant un verre de bière; Giovanna et sa mère Giuseppa encombrées de paquets et buvant de la limonade; un milicien en chemise noire; un marchand de journaux. Lina ne leur jette qu'un regard.) Hum... Tu sais, Paolo, les gens d'ici ne s'occupent pas de leurs voisins. Ce n'est pas comme à Pietrasanta.

PAOLO : Laisse-moi tranquille avec Pietrasanta, ma petite Lina.

LINA : Tu as l'air contrarié. Je te taquine? C'est que je suis nerveuse, mon gros chéri. Très nerveuse. Je maigris, tu vois. Ça me sied, n'est-ce pas? Mais j'ai dû faire faire des pinces à toutes mes robes. Et puis, je ne dors pas très bien. On voudrait se reposer, le matin, et alors, le bruit des camions qui vont au marché... L'autre jour, j'ai demandé au pharmacien une potion calmante. Il ne les donne pas pour rien, celui-là : quinze lires. Et pas d'effet, comme si on avait avalé de l'eau claire. Je devrais peut-être aller voir un médecin... Et, la semaine dernière, j'ai fait comme qui dirait un cauchemar. Un crabe s'était accroché à moi sous le sein gauche... La chair bleue, déchirée, broyée jusqu'au sang. J'ai réveillé la propriétaire à force de crier.

PAOLO : Ça suffit, Lina.

LINA, *à soi-même :* Il est comme les autres : que je sois malade ou non, il s'en fout. C'est naturel... Il ne me paie pas pour que je lui raconte mes cauchemars. Et il ne s'est même pas aperçu de cette grosseur du côté gauche. Au fond, c'est bon signe : ce n'est tout de même qu'une toute petite grosseur. *(A Paolo :)* Je ne veux pas t'ennuyer avec mes rêves, mon chéri. Mais c'est vraiment arrivé, cette histoire de crabe, du temps que j'étais dans un couvent à Florence, un jour où les bonnes sœurs avaient emmené les petites en excursion à Bocca d'Arno... Car je suis un peu ta payse, tu sais, c'est pour ça que toi et moi on s'entend si bien. Mon père était d'un petit village des environs de Pietrasanta.

PAOLO : Je sais... Je sais... Tu m'as déjà dit tout ça, Lina. *(A soi-même :)* Angiola aussi a été élevée dans un couvent de Florence, seulement c'était un couvent de dames nobles... Évidemment, je n'étais pas un mari pour elle. La fille d'un comte sicilien n'était pas faite pour devenir la Signora Farina. Même après ce qui était arrivé, et que le petit marquis l'eut abandonnée... Je crois bien que je n'ai jamais pu me charger des affaires de la famille avec le même cœur... En somme, je l'ai épousée par pitié. Non, non, tu l'aimais, tu la voulais... Tu la veux encore. Mais tu ne la reverras jamais. Tu l'as fait rechercher par un détective privé; ils t'ont bien volé, ces gens-là, tout homme d'affaires que tu sois des princes de Trapani et gérant de leurs propriétés en Toscane... Mais pas de nouvelles, et personne n'en a depuis cinq ans, et Rosalia elle-même ne sait rien... Et elle aimerait mieux mourir à l'étranger ou entrer dans une maison que de se retrouver dans ton petit chez-soi à Pietrasanta... Au moins, si elle avait eu cet enfant du marquis, et qu'il ait porté ton nom (*pater est quem nuptiae demonstrant*, bien sûr), elle serait peut-être restée chez toi à cause du petit. Mais pas de chance... Tu ne la reverras jamais, ton Angiola...

La lumière révèle Angiola Fidès, vêtue avec une extrême élégance, passant devant la terrasse du café. Paolo ne la voit pas; il lui tourne le dos.

LINA, *à soi-même :* Quel chapeau! Un chapeau français, une robe comme dans le dernier numéro de *La Femme italienne...* Et des fourrures d'été, de celles qui ne sont même pas utiles! Et les dessous sans doute tout ce qu'il y a de mieux; pas comme toi, qui as pourtant besoin d'être bien nippée pour gagner ta vie. Un mari ou un amant riche... C'est tout de même bien d'avoir Paolo chaque semaine et ses cent lires... Un peu regardant comme tous les clients sérieux... *(A Paolo :)* A quoi penses-tu, mon chéri?

PAOLO : A rien... Je prendrai bien encore un sandwich avant l'heure du train. Garçon!

Un garçon sort de l'ombre, portant un plateau avec un sandwich. Paolo paie, et compte attentivement sa monnaie, tournant et retournant chaque pièce.

LINA : Car je m'y intéresse, moi, à ta Toscane, mon chéri,

Papa était cocher de fiacre à Florence; il stationnait sur la place Santa-Maria-Novella. Et c'est pourquoi, moi, je sais ce qu'ils pensent, les cochers avec leurs voitures alignées le long du trottoir, devant les cafés, comme ici, et comme ils se désolent quand il n'y a pas d'étrangers... Il avait deux chevaux, Papa, et qui s'appelaient Buono et Bello, et qui étaient mieux soignés que nous, les enfants. Mais Buono est tombé malade, et il a fallu l'abattre... Et il a fallu l'abattre...

PAOLO, *à soi-même :* Une petite putain... Une fille de pauvres élevée par charité dans un couvent de Florence. Pas une institution de dames nobles, comme mon Angiola. Et moi, un homme sérieux, un homme du Parti, le gérant des propriétés des princes de Trapani en Toscane, je ne pourrais pas fréquenter l'équivalent de ça à Pietrasanta. Mais ce voyage à Rome, tous les huit jours, pour les affaires du prince, c'est un peu comme un séjour à l'étranger... Et c'est vrai : quand elle parle, c'est un peu comme l'autre, un peu la même voix, la même manière de dire « Assez! » ou « Laissez-moi dormir ». Je devrais tout de même lui faire un petit cadeau de temps en temps pour la contenter.

La mère Dida sort de l'ombre et circule autour de la table avec ses paniers de fleurs.

DIDA : Beaux œillets, belles roses... Toutes fraîches, mes belles roses.

LINA : Tu m'offres des fleurs, mon chéri?... *(A soi-même :)* J'ai tort de lui demander ça; ce n'est pas son genre.

Paolo repousse la mère Dida machinalement, par habitude. Puis :

PAOLO : Regarde, Lina, une pièce toute neuve. Avec le faisceau, bien entendu, et la date de l'An XI. Brillante comme les belles pièces d'argent d'avant-guerre... Je t'en fais cadeau...Ça ne te tente pas? C'est presque un talisman, tu vois.

LINA : Un petit extra? Comme qui dirait un pourboire? Non, je me moque, mon gros chéri; je la mettrai avec mon trèfle à quatre feuilles... Lundi prochain? Mais bien sûr, mais pourquoi pas? Je serai là, naturellement... Ne manque pas ton train.

PAOLO, *s'en allant, accompagné d'une tache de lumière :* Elle a raison de dire qu'ici personne ne me regarde; je suis ce Monsieur qui s'assied à table à côté d'une fille. Mais à Pietrasanta, ils savent. Un homme sérieux. Un homme du Parti. L'avocat qui a quand même gagné le procès du maire Tibaldi contre cette usine de houille blanche. Le vice-président de la société de philatélie... Non. L'imbécile qui, un beau soir, il y a cinq ans, a trouvé sa maison vide et sa femme partie avec un acteur, le mari trompé dont ses voisins font semblant d'avoir pitié. Un cocu... Le cocu d'Angiola.

Il disparaît.

LINA, *restée seule :* Onze heures douze. Mais sur le cadran là-bas, c'est déjà onze heures quinze. Quand on attend, les montres et les pendules, elles battent comme des cœurs... Bois lentement ton café crème; aie l'air de regarder ton bracelet-montre, très visiblement, d'abord parce que c'est vrai que tu veux savoir l'heure, ensuite pour que le garçon comprenne bien que tu es là parce que tu attends quelqu'un. Et pas parce que tu es trop fatiguée pour partir, et pas non plus pour essayer de lever un client quelconque, comme ce vieux, par exemple, qui consomme à la table à côté. *(La lumière révèle un instant Clément Roux, qui regarde attentivement Lina.)* Tu t'en moques bien, du vieux à la table à côté. Attends bien tranquille... Mon Dieu, faites que Massimo vienne... Après tout, c'est ton métier d'attendre. Tu as probablement passé plus d'heures à attendre les clients qu'à les faire jouir... L'autre est parti; c'est l'essentiel. Tu n'aurais pas voulu que Massimo arrivât pendant que le gros Paolo mangeait son sandwich. Il est d'ailleurs si discret, mon petit Massimo, qu'il aurait passé sans faire semblant, et même sans sourire. Il viendra, parce qu'il vient tous les jours à cette heure-ci; il sortira de sa Bibliothèque archéologique allemande. Il suit un cours d'art, ou quoi? Il aura des papiers, des livres; il posera sur la table ses longues mains, presque sur les tiennes; il y aura comme toujours dans sa vie des ennuis, des soucis, des choses qu'on ne peut pas tout à fait comprendre... Tu te remonteras en essayant de le remonter. Et si, par hasard, il a de l'argent (de temps en temps, ça lui arrive), il t'achètera un chapeau, ou il t'emmènera au concert, et tu iras, bien que tu n'aimes pas la musique sérieuse, mais il te dira au revoir avant la fin parce qu'il aura rencontré un ami quelconque. Au fond, il ne doit pas les aimer beaucoup, les femmes : c'est dommage. Mon Dieu, faites qu'il vienne... Et c'est quand même à lui seul que tu as eu le courage de dire que tu avais peur de cette chose que tu ne comprends pas, au sein gauche, et il aura peut-être comme il l'a promis l'adresse du médecin... Chéri... Ché...

La lumière révèle Massimo commè elle l'a décrit. Il s'assied près d'elle.

MASSIMO : Tu vas mieux? Non, n'est-ce pas, tu as l'air fatiguée; tu te tourmentes. A propos, je t'ai apporté l'adresse du médecin.

LINA : Je vais mieux quand tu es là.

MASSIMO : Il est parti, ton client sérieux? Tu es libre? Je t'ai pris un rendez-vous pour cet après-midi à trois heures et demie.

LINA : Cet après-midi? Tout de suite? Je ne suis pas habillée pour...

MASSIMO : Tu as peur?

LINA : Oui. *(Regardant l'adresse :)* Il est connu, hein? J'ai vu son nom dans les journaux. Combien crois-tu qu'il prend pour sa consultation, ton grand médecin?

MASSIMO : On s'arrangera. Pour toi, pas grand-chose.

LINA : Tu le connais? Tu connais tous les gens célèbres.

MASSIMO : Par personne interposée. Je veux dire, j'ai des amis qui le connaissent. *(Au garçon :)* Qu'est-ce que je veux? Rien... Ou plutôt si, un café crème.

LINA : Tu es nerveux, ce matin. Je le sens à ta voix... Tu as des ennuis? De nouveaux ennuis?

MASSIMO : Ne parlons pas de moi, Lina. Tu iras chez ce docteur Sarte; tu sauras à quoi t'en tenir. Tu ne peux pas continuer à te ronger... Et si, par bonne chance, ce n'est rien...

LINA : N'est-ce pas, si ce n'est rien? Après tout, je suis peut-être ridicule... Ça ne fait même pas mal. Au fond, j'aurais peut-être mieux fait de consulter mon vieux médecin de quartier, celui qui...

MASSIMO : Oui. Mais seulement, tu lui dois de l'argent.

LINA : Ce n'est pas seulement cela... Mais il m'a trop vue, tu comprends... Ce serait comme s'il m'examinait par habitude... Maman disait que c'est quelquefois bon d'aller prier dans une autre église... Et je ne t'ai pas encore remercié. Après tout, on ne se connaît pas depuis très longtemps, toi et moi; en un sens, on n'est même pas très intimes... Oh non, je comprends, je n'insiste pas... Seulement, c'est d'autant plus gentil à toi de t'intéresser... *(Elle est près d'éclater en sanglots.)* Et je maigris, tu sais, je maigris trop; ça ne me va pas... Et je n'ai personne... Et quand on a une idée qui vous poursuit, une espèce de crainte...

MASSIMO : Je sais...

LINA : Par exemple, je rêve. L'autre nuit, j'ai rêvé d'un crabe qui me mordait...

MASSIMO : Les crabes ne mordent pas, Lina.

LINA : Jusqu'au sang. Il s'accrochait à moi. Je n'en pouvais plus. J'ai crié.

MASSIMO : Doucement, Lina, doucement. Si tout le monde se mettait à raconter ses cauchemars. *(Il se lève.)* Il faut que je m'en aille.

LINA : Déjà? Mais ce soir? On te voit vers sept heures, comme d'habitude, au café de la place Balbo?

MASSIMO : Non. Je dois absolument voir quelqu'un.

LINA : C'est que je voudrais... J'aimerais tant te dire ce que le docteur... Après tout, il n'y a pas beaucoup de gens à qui l'on puisse... Ils n'écoutent pas. Tous si égoïstes, mon chéri. Il n'y a que toi qui... Tu ne peux vraiment pas?

MASSIMO : Je téléphonerai. J'ai ton numéro.

LINA : Oui... Mais la propriétaire est dans ses mauvais jours... Tu comprends, mon terme... Et puis, ton nom... Elle se méfie des étrangers.

MASSIMO : Je ne laisserai pas mon nom.

LINA : Oui, mais il y a aussi ton accent, un accent allemand, ou russe, on ne sait pas. Moi, je le trouve joli, ton accent... On donne ce soir ce film d'Angiola Fidès au Cinéma Mondo. Tu ne veux pas qu'on aille?

MASSIMO : Je t'ai déjà dit que je ne serai pas libre.

LINA : C'est que je ne t'ai pas encore expliqué... C'est difficile. Mais quand tu es là, je suis tout autre... C'est comme s'il faisait tout à coup plus beau... Tu t'en vas?

MASSIMO : Je suis pressé aujourd'hui, Lina. Non, ne t'inquiète pas; ne pleure pas; c'est si inutile. Adieu... *(Il s'en va rapidement, suivi par la tache de lumière. Il s'arrête devant le marchand de journaux :)* Vous n'avez pas les journaux du soir?

Il disparaît.

LINA : Il a oublié de payer son café crème.

SCÈNE II

Le cabinet de consultation du docteur Sarte.

A droite, dans une lumière nette et dure, le bureau du docteur Sarte. A gauche, mal éclairé par un faux jour, le salon où des personnages muets entrent, s'asseyent, se relèvent pour prendre un journal illustré, se rasseyent sans échanger entre eux la moindre parole. Parmi eux, Clément Roux, puis Giovanna Stevo, introduits séparément par une femme de chambre silencieuse. Le manège dans le salon durera pendant toute la scène.

Le docteur Sarte, assis à son bureau, téléphone. Lina, à demi vêtue, occupe une chaise en face de lui. Par décence, ou parce qu'elle a froid, elle serre contre sa poitrine la robe qu'elle a enlevée pour l'examen.

LE DOCTEUR SARTE : C'est entendu : vous réserverez un lit au pavillon Saint-Bonaventure, pour vendredi prochain, le 23. CHI-A-RI, Lina. Je lui dirai d'arriver vers deux heures, pas plus tôt. Oui, comme d'habitude. La salle vers huit heures du matin.

LINA, *à soi-même :* Il est plus jeune que je ne croyais... Bien de sa personne... Mais il ne doit fréquenter que des femmes tout ce qu'il y a de mieux, des femmes du genre Via Veneto... *(Au docteur Sarte :)* Docteur...

LE DOCTEUR SARTE : C'est arrangé.

LINA : Docteur, est-ce qu'il faut vraiment que ce soit vendredi? ...On pourrait peut-être attendre une semaine... D'autant plus que ça ne fait pas même mal...

LE DOCTEUR SARTE : Je crois vous avoir dit que chaque jour qui passe diminue vos chances. Vous n'avez déjà que trop attendu.

LINA : Mais une opération, Docteur? Est-ce bien sûr qu'une opération... Il y a maintenant des médicaments tellement forts, des rayons...

LE DOCTEUR SARTE : Croyez-vous que je veuille vous opérer par plaisir? Enfin, je vous ai expliqué de quoi il s'agit : vous devez me comprendre. Vous avez vu un fruit, une pêche avec une petite tache de moisissure. Quand on coupe, on s'aperçoit quelquefois que cela va plus loin qu'on ne pensait... De peur de contaminer le reste, il faut qu'on enlève...

LINA : Et alors, si l'opération est, comme vous dites, docteur, réussie, cela veut dire que je me réveillerai... que la poitrine, sur le côté gauche... Monsieur le Docteur, vous êtes un homme... Imaginez-vous... Vous ne pourriez pas... Comment voulez-vous que dans ma profession... *(Elle éclate en sanglots.)* J'aime mieux m'en aller... J'aime autant mourir.

LE DOCTEUR SARTE : Ne vous tourmentez pas, Madame Chiari. Nous ne trouverons peut-être qu'une tumeur bénigne... Ne vous mettez pas si vite à réorganiser votre avenir. *(A soi-même :)* Son avenir... Six mois... Un an... On ne sait jamais... Cet engorgement des glandes de l'aisselle... Et puis, il y a probablement métastase du côté du foie. *(A Lina qui continue à pleurer :)* Vous êtes sous-alimentée; vous dites que vous dormez mal depuis que vous avez commencé à vous inquiéter de cette induration. Vous avez l'ordonnance? Tâchez d'arriver à l'hôpital dans le meilleur état possible.

LINA : Si vite... Monsieur le Docteur, si vous croyez que mardi prochain...

LE DOCTEUR SARTE : Vous avez quelqu'un à prévenir? La famille? Un ami? Non? C'est plus facile ainsi, croyez-moi. Tâchez seulement d'arriver reposée... Vous pouvez finir de vous rhabiller. *(Sonnerie de téléphone).* Excusez-moi. *(Au téléphone :)* Oui... Non : une malade. Comment?

On s'y attendait. Un tuberculeux dans ce climat, dans ces conditions... Les îles Lipari ne sont pas un endroit de villégiature... Ah! *(A Lina :)* Vous pouvez sortir. *(Elle sort à droite.)* Des sévices?... Oui, je comprends bien... Je ne pose pas de questions... Puis-je vous demander en quoi ce décès vous gêne? Une rétractation? Vous aviez obtenu de lui une rétractation? Pas tout à fait spontanée, je suppose?... Non, je n'ai pas encore vu les journaux du soir... Bien entendu... Bien entendu... Le décès ne sera ébruité que plus tard. Naturellement... Merci de me prévenir. Non, pas précisément un ami : un ami de jeunesse. Oui, je sais que tu sais, Tommaso... Non, sans rapports directs avec elle, mais, indirectement, je la suis d'assez près... *(Avec une involontaire nuance d'ironie :)* Et vous aussi, j'imagine... Non, à personne, surtout pas à elle... De toute façon, je te verrai peut-être ce soir à la réception au Palais Balbo. *(A soi-même, assis à son bureau, réfléchissant :)* La mort de Carlo Stevo... La mort de Carlo Stevo ne m'intéresse pas. Un grand nom de la littérature italienne, comme dira demain, prudemment, le *Corriere della Sera.* Je n'ai pas même lu tous ses livres... Mais elle, mais Marcella... L'histoire de la rétractation est dans les journaux. Elle la connaît déjà, version autorisée. Et, pour le reste, le petit Iakovleff a dû lui apprendre... Non. Il tient peut-être à ne pas avoir l'air trop renseigné. Suis-je content qu'elle souffre? Non. Avant la réception au Palais Balbo, j'aurai le temps de passer rue Fosca. Compromettant... Cette pierre au cou qu'était pour moi une rebelle, une militante, la fille d'un adversaire du régime... Elle saura toujours assez tôt... Si dure d'ailleurs : elle ne lui pardonnera jamais sa rétractation... Laisse-la cracher sur son héros aux pieds d'argile ou au contraire pleurer sur lui dans une catacombe.

Il appuie sur un timbre. Clément Roux est introduit. Soixante-dix ans environ. Aspect à la fois robuste et un peu hagard. Vêtements de bonne qualité, assez négligés. Feutre un peu cabossé. Peut-être une cape.

CLÉMENT ROUX : On m'a recommandé de m'adresser à vous, docteur Sarte, à la suite d'un petit malaise qui... Je suis de passage à Rome... Où est ma carte?... J'ai sûrement une carte... *(Il cherche dans ses poches, trouve une carte, la présente au docteur Sarte.)* L'autre jour, à la Villa Médicis...

LE DOCTEUR SARTE : Asseyez-vous, Monsieur Clément Roux. Ce malaise dont vous me parlez...

SCÈNE III

La rue.

On aperçoit Lina Chiari traversant la scène de gauche à droite. Elle est censée marcher dans la rue le long du trottoir, jetant çà et là par habitude un regard sur les vitrines. Lumière de fin d'après-midi.

LINA : Mercredi, jeudi, vendredi, samedi... Où seras-tu, samedi, à quatre heures et demie du soir? Morte? Non, cela ne se passe pas comme ça : on ne meurt pas si vite. Une chose bandagée, une chose charcutée, une femme qui n'a plus tout à fait une poitrine de femme... N'y pense pas : tu vas encore te mettre à pleurer. Ou à crier. Et tu ne verras pas Massimo ce soir : il n'est pas libre; tu ne pourras pas lui raconter... Et tu ne peux pas non plus aller tout raconter à ta propriétaire; c'est alors qu'elle insisterait tout de suite pour que tu paies ton terme... Alors, à qui? A ce Monsieur qui passe? À cette dame entre deux enfants... Comme ça les étonnerait, si on les arrêtait pour leur dire... Voilà, Messieurs Dames, quelque chose comme ça vous arrivera un jour aussi... Donc, c'est sûrement une tumeur maligne... Vous n'avez personne à prévenir? Pas même un chien, Monsieur le Docteur... Regarde un peu : c'est joli, dans cette vitrine, ce soutien-gorge en satin crème; et, plus loin, des souliers avec une barrette d'argent... En solde. Mais tu n'as plus si loin à marcher, ma fille... Comme dirait Maman, jusqu'à la mort, on y arrivera... Tu es fatiguée... Arrête-toi un peu devant ce kiosque à journaux; fais celle qui lit les manchettes. L'illustre écrivain Carlo Stevo rétracte ses odieuses calomnies contre les dirigeants du Parti. Je ne sais pas qui c'est. Ce soir, à neuf heures, place Balbo, grand discours du chef de l'État. Monseigneur Maneggio a subi avec succès une intervention chirurgicale... Ne t'inquiète pas : toi, on ne te mettra pas dans les journaux. Tiens, le voilà, le film d'Angiola Fidès, en permanence au Cinéma Mondo. Mais ça ne l'intéresse pas, Massimo, ce film. Ce soir, tu vas te mettre dans ton lit avec tes calmants, tâcher de dormir... Mourir n'est pas si dur : on va chez Dieu. Il faudra seulement t'acheter une ou deux chemises de toile fine; on ne peut pas décemment t'enterrer dans ta dentelle noire... Ç'aurait été moins facile si Massimo t'avait aimée. Et tu feras bien d'envoyer une carte postale au gros Paolo, puisque lundi tu ne seras pas là : il faut être poli envers le monde. Mais tu ne mourras pas... Tu changeras de métier; tu sais coudre. On crève de faim avec cette profession-là. Ou bien vendre des fleurs comme Dida... Ne pleure pas, ma fille : c'est si inutile. Regarde-toi dans la glace de cette boutique. Tu as envie de vivre avec une figure comme ça? Une figure minée; un teint gris, ou plutôt jaunâtre... Des lèvres toutes pâles... Où est mon rouge? Non, pas là. Pas ici non plus... J'ai dû le laisser chez le docteur. Non, je ne vais pas y retourner, prendre l'ascenseur, parler à cette espèce d'ouvreuse en blouse blanche. Justement, la boutique de parfumerie où Estella se fournit toujours, la boutique avec un petit vieux... *(A Giulio Lovisi, qu'on aperçoit soudain à sa devanture :)* Un bâton de rouge, s'il vous plaît.

GIULIO LOVISI : Quelle nuance, Madame?

LINA : Fraise. Non, framboise.

GIULIO LOVISI : Coty?

LINA : Trop cher.

GIULIO LOVISI : Évidemment... Évidemment... Nos marques italiennes sont d'ailleurs les meilleures de toutes. Tout de même, Madame, regardez cet étui : quel bijou pour seulement cinq lires de plus.

LINA : Bon. Coty. Peu importe. Je le mets dans mon sac. *(Il lui rend la monnaie.)* Merci, Monsieur.

Giulio Lovisi disparaît.

LINA, *seule :* Et maintenant, prends ton miroir de poche; refais-toi une figure convenable, la figure de quelqu'un qui n'est pas malade et n'a pas pleuré. D'abord, la poudre. Et puis, le rouge à lèvres, et tu ouvres un peu la bouche pour ne pas laisser aux coins une ligne pâle, et tu en mets beaucoup, pour que ce soit rouge comme un cœur. Estella dit toujours qu'il y a trois moyens tout à fait sûrs pour intéresser les hommes : d'abord marcher doucement, en se retournant de temps à autre, pour bien montrer qu'on est disponible; ensuite, avoir une robe qui montre les formes, les formes des seins (non, n'y pense pas, n'y pense plus); et puis surtout beaucoup de rouge aux lèvres. Car ce qu'ils veulent, c'est qu'on soit facile; ils sont tous si lâches. Du bout des doigts, barbouille-toi les pommettes d'un peu de ton rouge à lèvres; c'est presque un vrai fard; ça donne l'air fiévreux, mais te revoilà belle. C'est tout de même curieux qu'il faille si peu de chose pour avoir l'air belle... Dommage que Massimo ne m'ait jamais donné son numéro de téléphone. Mais il n'y a pas tant d'endroits où il pourrait être à cette heure-ci : il sera peut-être au Bar Rosario. Et, si tu le rencontres, il t'offrira une glace, ou bien, vous dînerez demain ensemble à Monte-Mario, et tu mettras ta robe à raies roses... Souris, ma fille, tu es plus jolie quand tu souris que quand tu pleures... Et puis, le docteur l'a dit : on n'est jamais sûr... Ce ne sera peut-être qu'une toute petite cicatrice.

Elle disparaît.

Alessandro Sarte, supposé sorti de son immeuble, avance en droite ligne vers la rampe. Imperméable noir sur tenue de soirée; foulard blanc.

ALESSANDRO SARTE : Ne pas prendre la voiture : inutile et encombrant par un soir de service d'ordre. J'ai tout le temps qu'il faut pour dîner en paix chez Rainier et aller ensuite à pied au Palais Balbo. Quelle corvée! Et l'autre jour, c'était pour la délégation nazie : le général Gœring avec toutes ses bagues... Mais, par un soir comme celui-ci, mieux vaut faire au moins une apparition dans les cercles officiels. Tommaso aura sans doute des détails à m'apprendre... Et d'ailleurs, on a beau être bien vu, considéré, avoir tous les mots de passe nécessaires, le mari de Marcella est tout de même un homme qu'on surveille... Ou du moins un homme surveillable... Et si je vais ce soir rue Fosca, il vaut mieux qu'un policier zélé ne prenne pas le numéro de ma voiture stationnant à la porte. Héler un taxi. Mais je n'irai pas rue Fosca. Je n'ai pas résisté durant des mois à l'envie de la revoir pour aller tomber sur un conciliabule de suspects au fond d'une arrière-boutique. Sot mariage! comme disait mon père... Un mariage pourtant, puisque je ne peux pas plus oublier cette femme que je ne puis oublier mon nom, ou le numéro de ma carte d'identité. Ne pas se donner le change : j'irai rue Fosca. Non que ma décision de n'y pas aller faiblisse le moins du monde : au contraire. Mais je sais que j'irai, et je sais aussi que ce sera inutile, ridicule, un peu indécent. Je continue à marcher dans la direction opposée; je continue à me diriger du côté de chez Rainier; je continue à dire non, mais le moment viendra (et je le sais) où je dirai à un chauffeur de taxi : « Rue Fosca. » Curieux mécanisme! Tout se passe comme s'il y avait en nous différents ordres de volonté.

SCÈNE IV

L'église de Sainte-Marie-Mineure.

Au lever du rideau, on n'aperçoit d'abord qu'un portail classique, posé de biais à gauche, qui est censé donner de la rue dans l'église. On découvre la mère Dida assise sur la marche du portail entre ses deux paniers de fleurs, puis, se pressant pour arriver à temps pour le salut, le petit Père Cicca, curé de Sainte-Marie-Mineure. Un reste de soleil couchant éclaire ce coin de scène.

LE PÈRE CICCA, *s'arrêtant un instant sur le seuil :* Un bon mouvement, mère Dida! Donne-moi une rose pour la Sainte Vierge!

DIDA : Accident! Elle est plus riche que moi, ta Sainte Vierge!

Le Père Cicca soupire et passe à l'intérieur de l'église, dont l'autel lourdement doré s'illumine. Dans la nef, un petit groupe de fidèles debout ou assis sur des chaises, parmi lesquels Giulio Lovisi, Clément Roux, Miss Jones. A droite, au premier plan, l'éventaire de Rosalia di Credo avec ses cierges, ses petites vierges de plâtre et ses chapelets. Toute la conversation qui suit est chuchotée.

ROSALIA : Vous voilà, Monsieur Lovisi. Et comment va-t-elle aujourd'hui, la chère petite fille?

GIULIO LOVISI : Un peu mieux. Ou plutôt non, c'est toujours

à peu près la même chose, Mademoiselle di Credo, mais on répond « un peu mieux » comme qui dirait par habitude. Un père tuberculeux, vous comprenez. Et le nouveau docteur dit comme les autres qu'il faudra du temps et des traitements à n'en plus finir. C'est dur surtout pour sa pauvre mère. *(A soi-même :)* Au contraire, c'est plutôt heureux pour ma Vanna d'avoir à s'occuper de son enfant. Elle ne peut pourtant pas passer toute la sainte journée à attendre des nouvelles d'un prisonnier.

ROSALIA : Pauvre ange! *(Elle baisse davantage la voix :)* Quel malheur pour votre fille tout de même qu'il ne soit pas parti à temps pour Lausanne!

GIULIO LOVISI : L'imbécile! J'avais toujours pensé que ce Carlo allait mal finir... Je lui avais bien dit, Bon Dieu!... Non, j'exagère, Mademoiselle di Credo, je n'aurais jamais eu le courage de rien lui dire. Un homme célèbre, et quand on n'a, comme moi, pas fini l'école primaire...

ROSALIA : Cela n'empêche pas l'expérience, Monsieur Lovisi.

GIULIO LOVISI : Quand j'y pense, tout a commencé parce que ma femme a voulu habiter Ostie, à cause de son asthme, vous savez. Le bord de la mer... Et ce n'est pas si commode pour moi qui ai un commerce en ville. Alors, quand il a fallu louer une chambre, et que cet écrivain si connu est arrivé, cherchant un endroit tranquille pour son travail, et du bon air pour se remettre d'une pneumonie, comment voulez-vous qu'un cœur de feu comme ma Vanna... Moi, je l'ai toujours détesté, cet homme.

ROSALIA, *à soi-même :* Moi, j'ai toujours détesté Paolo. C'est mal de détester son beau-frère... Mais il n'a même pas su la garder, notre Angiola.

Scène muette : un enfant de chœur circule, allumant des lampes.

GIULIO LOVISI : J'exagère, Mademoiselle Rosalia, j'exagère. Je ne le détestais pas encore en ce temps-là; on ne savait pas encore que c'était un criminel; il n'était pas encore condamné. Et j'ai même été plutôt fier, quand Vanna s'est installée avec lui dans un bel appartement en ville; je m'étais même résigné à ne pas la voir trop souvent; ils avaient mieux à faire qu'à m'inviter avec Giuseppa. Mais les écrivains, n'est-ce pas? On ne sait jamais à quoi s'attendre... Quand Giovanna est venue se réfugier chez nous avec la petite, nous avons bien compris qu'on a tort de se marier au-dessus de sa classe. Et même alors, je ne donnais pas tout à fait raison à Vanna : elle est difficile, comme sa mère.

ROSALIA : C'est que c'est difficile d'être une femme, Monsieur Lovisi.

GIULIO LOVISI : Et rien ne s'arrange, vous savez. Il est en prison; on devrait être en paix. Eh bien, non, c'est comme s'il y avait dans la maison un fantôme.

ROSALIA : Mais lui, Monsieur Lovisi, mais ce pauvre homme... On vous a dit... où il se trouve?

GIULIO LOVISI : Oui, dans une île... Je ne sais plus laquelle... Près de la Sicile.

ROSALIA : La Sicile... *(A soi-même :)* Je suis née en Sicile. Et la maison était Gemara, la seule maison au monde... Et notre père n'était pas encore ce pauvre vieux qu'on a dû mettre dans un asile... Angiola se baignait sur la plage, et elle venait en bondissant quand je l'appelais, comme une chèvre...

GIULIO LOVISI : Ce ne serait rien, si notre pauvre Vanna était un peu plus raisonnable. Ma femme doit se relever toutes les nuits pour prier avec elle, lui faire boire du lait chaud, la border dans son lit, enfin quoi, tâcher de la calmer. Tout ça parce que Monsieur s'est mêlé de politique et se morfond sur un rocher. Dire qu'il faut toujours que ce soient les innocents qui pâtissent... On ne peut plus dormir.

ROSALIA : Patience, Monsieur Lovisi. Patience!

Scène muette. Miss Jones achète à Rosalia un cierge.

GIULIO LOVISI : Pensez donc : avoir un gendre qui ait osé s'attaquer à un si grand homme. A notre Grand Homme... Et à un homme à qui tout réussit... Quand je pense que nous avions cru donner notre Vanna à quelqu'un d'instruit.

L'orgue entame une fugue de Bach.

CLÉMENT ROUX, *assis, à soi-même :* Tiens, j'étais tranquille sur ma chaise, et, tout à coup, ce bruit qui déchire... Ce bruit, non, c'est l'orgue... Mais si soudain qu'on ne s'attendait pas... C'est ça : un second accord explique le premier, comme dans ma peinture une seconde touche de couleur à côté de la première. On dirait des questions, et puis des réponses, mais ces questions ont un sens et ces réponses aussi : ce n'est pas comme dans ce monde où nous sommes... L'orgue t'émeut, mais tu ne vas jamais l'entendre à Saint-Germain-des-Prés ou à Saint-Sulpice. Pas le temps... Mais ici, dans ce coffret doré... Si moelleux, leurs ors... Au fond, personne ne la comprend, cette musique. Pas même moi. Sauf peut-être là-haut l'organiste, mais on sent malgré tout que c'est beau. Elle recouvre même le bruit des autobus et des taxis qui m'irritait tout à l'heure avant que cette fugue ne commence... Ils y sont habitués, eux, à leur vacarme, mais moi, ça me gâte Rome... Je me demandais si j'avais eu raison de venir ouvrir cette rétrospective, à mon âge. Le temps presse : j'ai encore dans l'atelier des choses à finir... Mais quel dommage qu'il fasse trop noir pour revoir dans la chapelle à droite la fresque de Caravage : celle où il y a une belle fille appétissante et un beau garçon en chapeau emplumé, tellement plus importants tous les deux que le pauvre vieux Saint Pierre... Eh bien, quand même, j'ai eu raison de revenir à Rome...

MISS JONES, *allumant son cierge :* J'ai eu raison d'acheter un cierge, quoique le pasteur à Putney serait bien surpris... Mais puisqu'il me reste plus de petite monnaie qu'il ne m'en faut jusqu'à mon départ de Rome... Seigneur, faites qu'on m'augmente; faites que je passe secrétaire du sous-directeur; faites que demain la traversée soit bonne... Même dans une église catholique, ça fait toujours du bien de prier.

LE PÈRE CICCA : Mère de Dieu...

QUELQUES FIDÈLES : Priez pour nous...

LE PÈRE CICCA : Mère aimable...

QUELQUES FIDÈLES : Priez pour nous...

GIULIO LOVISI, *assis, à soi-même :* J'y tiens, moi, tous les soirs, à ce petit salut à Sainte-Marie-Mineure avant le tram 23 et la gare de la Porte-Saint-Paul... (Ne pas oublier le paquet de rubans sous la chaise : ce serait une histoire!) C'est que je ne suis pas pressé de les revoir, moi, la mère qui bougonne, la fille qui pleure ou qui fait de son mieux pour ne pas pleurer... Ma pauvre Giovanna! Et la petite (je l'adore!) est quand même, comment dire, un peu capricieuse... Mais ici, je suis bien. Le bon Dieu ne demande même pas qu'on soit très attentif aux prières... Elle est sympathique, la blonde en costume de voyage, l'Anglaise qui ne sait pas s'y prendre pour allumer un cierge... Toute jeune... Ça ne sait rien de l'amour... Protestante... Pas même maquillée, la pauvre... Je suis un homme rangé, après tout : d'autres feraient pis que d'aller au salut chaque soir... Et au moins Giuseppa ne viendra pas ici faire une scène.

LE PÈRE CICCA : Maison d'or...

LES FIDÈLES : Priez pour nous...

ROSALIA, *à soi-même :* Une maison, une maison de Sicile... Elle n'est plus à nous; elle est à vendre; on la vendra pour payer les dettes du père. On a dû coller sur la porte une grande affiche qui se plisse, qui bouge à la brise, avec en petites lettres noires le nom du notaire... La seule maison au monde, une vieille maison, la maison de Sicile...

LE PÈRE CICCA : Reine des Anges...

LES FIDÈLES : Priez pour nous...

LE PÈRE CICCA : Reine des Martyrs...

LES FIDÈLES : Priez pour nous...

MARCELLA, *entrant :* Heureusement que j'ai mon châle; sans quoi je n'aurais pas pu m'abriter dans l'église par cette pluie d'orage. Cette superstition qui consiste à ne pas accepter les femmes tête nue... Et puis, les plis du châle dissimulent ce paquet, cette chose... Graissé de frais... Espérons que l'humidité ne détériore pas... En tout cas, rien à craindre de la part de l'armurier; il est du Groupe. On réussit parfois. Plus souvent qu'on ne pense, quand on est déterminé à aller jusqu'au bout, à ne pas ménager derrière soi un chemin de sortie... C'est une chance qu'Alessandro m'ait appris à tirer à Reggiomonte... Le balcon, ou la porte? Devant le balcon, dans la foule, il est plus difficile de lever le bras... Mais la porte est plus surveillée... Mieux vaut au fond qu'il y ait une alternative : tu choisiras sur place... Tout de même, il aurait peut-être été plus sage de se décider pour la Villa Borghèse... S'arranger pour se tenir près de la piste cavalière; avoir l'air d'une femme qui se promène avec un enfant... Non, non, ne vacille pas... Je serai morte bientôt, c'est la seule chose qui soit sûre... Qu'est-ce qu'ils disent? Reine du ciel : *Regina Coeli*, ce nom de prison. Est-ce là que demain?... Faites, mon Dieu, que je meure tout de suite... Faites que ma mort ne soit pas inutile, faites que ma main ne tremble pas, faites qu'il meure... Tiens, c'est drôle... Je me suis mise sans le savoir à prier...

LE PÈRE CICCA : Tour d'ivoire...

LES FIDÈLES : Priez pour nous...

CLÉMENT ROUX, *à soi-même :* Que c'est beau, ce qu'il dit... Tour d'ivoire... Quoique ça me dégoûte, l'ivoire, ces grands animaux massacrés... Mais moi (est-ce impie?) cet ivoire-là me fait plutôt penser à des corps... Par exemple, cette petite fille sur une plage, un soir, se peut-il qu'il y ait déjà près de vingt ans?... Un bel ivoire lisse, pâlement doré, ferme et nu... Décidément, je suis fatigué: ce temps d'orage... Espérons que le nouveau médicament du docteur Sarte... Cette femme en châle est belle : une beauté simple, sans nuances, vigoureuse, le grand style classique... Je ferai bien de rester encore assis quelques minutes, et ensuite, je rentrerai à pied à l'hôtel...

LE PÈRE CICCA : Refuge des pécheurs, Santé des infirmes...

LES FIDÈLES : Priez pour nous... Priez pour nous...

ROSALIA, *se penchant vers Giulio par-dessus son éventaire :* Vous avez des ennuis, Monsieur Lovisi, avec la santé de cette petite... Mais si vous lui offriez un cierge, à la Sainte Mère... Elle est si bonne!

GIULIO LOVISI, *hésitant :* Sans doute, Mademoiselle di Credo, sans doute... Un cierge... *(A soi-même :)* Un cierge... Non, deux : Mimi, Vanna, et il en faut un pour Giuseppa, pour demander, mon Dieu, qu'elle me laisse la paix, et pour Carlo, après tout... On ne peut pas vraiment souhaiter qu'il revienne, cet homme qui serait quand même jusqu'au bout suspect aux autorités. Mais il faut être bon : on peut malgré tout prier pour qu'il ait la vie moins dure; ça ne doit pas être agréable d'être prisonnier dans une île. Quatre cierges, Mademoiselle di Credo, quatre cierges.

Il se lève.

ROSALIA : Vous la gâtez, la Madone, Monsieur Lovisi. Quelle taille?

GIULIO LOVISI : Moyens, Mademoiselle.

Il allume les cierges.

LE PÈRE CICCA : Priez pour nous, pauvres pécheurs...

LES FIDÈLES : Maintenant et à l'heure de notre mort...

GIULIO LOVISI : On est tous des pécheurs après tout, Mademoiselle Rosalia.

ROSALIA, *lui rendant sa monnaie :* On fait tous de son mieux, Monsieur Lovisi.

LES FIDÈLES : AINSISOITIL... AINSISOITIL... AINSISOITIL...

MARCELLA : Des mots privés de sens, une espèce d'incantation inepte, de formule magique... Ils ne savent même plus ce qu'ils disent. L'opium des faibles : Carlo a raison. On leur a appris que toute puissance vient d'en haut. Aucun de ces gens-là ne serait capable de faire ce que je vais faire. Aucun de ces gens-là ne serait capable de se dresser pour dire non.

La lumière s'éteint sur l'autel. Les fidèles sortent un à un.

SCÈNE V

La rue. Les immeubles.

Le portail de Sainte-Marie-Mineure, toujours placé à gauche, est maintenant vu de face. Un peu plus loin, du même côté, une maison basse avec un escalier extérieur, et où le Père Cicca est supposé habiter au premier étage. A droite, un peu de biais, l'angle de l'immeuble dont Marcella est supposée occuper le rez-de-chaussée, et Rosalia di Credo le troisième étage. Un escalier s'accote à l'immeuble, partant d'une sorte de cour intérieure. Lumière de fin de crépuscule.

Le Père Cicca et Rosalia di Credo se saluent au seuil de l'église.

LE PÈRE CICCA : Une belle soirée. Bien le bonsoir, Mademoiselle di Credo.

ROSALIA : Un peu orageuse. Bonsoir, Père Cicca. *(Le Père Cicca la regarde un instant s'éloigner, puis rentre en soupirant dans l'église. Rosalia traverse la scène, puis gravit lentement l'escalier du praticable à droite. La lumière la suit dans sa montée vers ce qui est son appartement au troisième étage.) (A soi-même :)* Et maintenant, ta journée est finie. Tu as travaillé : tu rentres chez toi. C'est un travail correct, un travail qui ne salit pas les mains; un travail pour demoiselle de bonne famille qui a eu des revers de fortune... Tu rentres chez toi. Chez toi? La maison qui est ta maison doit déjà avoir été vendue, si seulement on lui a trouvé des acheteurs. Dimanche dernier, je suis allée à l'Asile en parler au Père.

Il ne comprenait pas... Ou il faisait celui qui n'a pas compris. Il ne veut pas comprendre que la maison a été vendue pour couvrir les dettes impayées; il ne veut plus savoir que notre Angiola a fait un mauvais mariage, qu'elle s'est sauvée, qu'il y a déjà quatre ans qu'on ne sait plus... Il me regardait, et il caressait les bras du fauteuil de paille à l'Asile, et c'était pour lui le fauteuil d'acajou qu'on a laissé à Gemara... C'est comme s'il s'arrangeait pour garder un domaine qu'on ne peut pas lui prendre et deux filles qui n'ont pas déchu... Sa folie, c'est sa Sicile. Et ta Sicile à toi, où est-elle? Monte l'escalier : tu le monteras le soir, tu le descendras le matin, tous les jours pendant toute la vie... Et tu n'as que trente ans, et tu es d'une famille où les femmes vivent vieilles. Et tu arriveras là-haut un peu essoufflée, et tu tourneras la clef, et tu ne trouveras qu'une chambre vide. Et ce sera toujours ces mêmes bruits, ces mêmes odeurs; pas une maison pour personne de bonne famille... Avoue que c'est bon que le vieux soit parti, qu'il ne faille plus laver ses draps ni lui faire à manger... Mais la solitude... Au moins, quand on s'est installés ici, Angiola était encore à l'âge de l'école; elle revenait au temps des vacances; tu lui faisais des robes; tu t'agenouillais devant elle la bouche pleine d'épingles; tu as pris soin d'elle quand elle a fait ce mauvais pas... Tu as même supporté ce mari ridicule qu'elle a pris à cause du scandale... Et maintenant, tu es seule... Et tu resteras seule. Tu n'as même pas connu l'amour : tu n'as eu que ton père et ton Angiola. Ferme la fenêtre : tu n'entendras pas la radio d'en face... Ton potage... Où est le charbon de bois? Non, tu n'en as plus; ton souper, tu ne pourras pas le réchauffer... Ah, sotte que tu es, le charbon de bois ne sert pas qu'à réchauffer ton souper : il sert à des choses... On s'assied tout près des belles braises; on se penche comme pour respirer des fleurs rouges. On tousse un peu, mais, parce qu'on s'endort, on ne s'aperçoit pas qu'on tousse. Ma-da-ma Cel-la!

Elle s'incline, appelant d'en haut Marcella, que la lumière éclaire en bas, dans ce qui est censé être la cour de son arrière-boutique.

MARCELLA, *levant la tête, saisie :* Qui est-ce? Vous m'avez fait peur! Qu'est-ce que je puis pour vous, Mademoiselle Rosalia?

Rosalia fait descendre un panier à l'aide d'une longue corde.

ROSALIA : Rien qu'un peu de charbon de bois, Madame Cella. J'ai mis l'argent dans le panier.

MARCELLA : Un instant.

Elle rentre dans l'immeuble.

ROSALIA, *en haut, rêvant, tandis que Marcella, reparue, place le charbon dans le panier :* Tu ne redescendras plus l'escalier; tu n'iras plus vendre des chapelets, et des cierges, et des statuettes de plâtre. Tu ne finiras pas comme ton père dans un asile. Tu fermeras bien la fenêtre; tu la calfeutreras avec une couverture. Et tu tires, et tu hisses, comme autrefois quand tu achetais au marchand ambulant des fruits ou des douceurs pour ton Angiola. Et je tire, et je hisse, et je hale ce charbon, ma mort.

MARCELLA : Rien d'autre?

ROSALIA : Rien pour le moment, Madame Cella.

MARCELLA : Une minute, je vais aller vous chercher votre monnaie.

ROSALIA : Plus tard, Madame Cella. Bonsoir.

MARCELLA : Bonsoir, Mademoiselle Rosalia.

Le panier remonte. La lumière s'éteint. On aperçoit, sous le portail de Sainte-Marie-Mineure, le Père Cicca qui ferme à clef la porte de l'église, puis se penche vers Dida, toujours assise sur la marche du seuil. Il parle très haut, parce qu'elle est sourde.

LE PÈRE CICCA : Dida! Hé! Dida! Vous m'entendez? Elle est sourde comme ceux qui ne veulent pas entendre... Votre fille, la femme de Marinunzi, s'est fait mettre sur la liste des indigents de la paroisse; ce n'est pas étonnant, avec quatre petits enfants, et un cinquième que lui envoie le bon Dieu. Mais vous avez des sous, mère Dida. Vous n'auriez pas besoin de vendre des bouquets sur le seuil de Sainte-

Marie-Mineure, si ce n'était que vous aimez le métier, et que vous vous languiriez chez vous à Ponte-Porzio. Et on sait qu'il y a de beaux billets neufs dans le sac qui vous pend au cou comme un scapulaire.

DIDA : Tais-toi, prêtre! Ceux qui disent ça seront cause que le Marinunzi me coupera le cou au coin d'une borne... Plus souvent que je me saignerai pour ce salaud qui boit ce qu'on lui donne. Le travail ne lui fait pas peur, à lui : il se couche à côté.

LE PÈRE CICCA : Vous êtes dure, mère Dida; on ne vous a jamais vue jeter à un chien une croûte à ronger. Vous ne m'avez jamais glissé la pièce pour dire une messe à l'intention de vos bons morts, et vos deux filles, Tullia et Maria, celles qui n'ont pas toute leur tête, on sait qu'elles travaillent pour vous comme des mules dans votre champ à Ponte-Porzio. Vous irez en enfer comme tous les avares; vous ressusciterez le poing fermé, et vous passerez l'éternité à essayer sans y parvenir de rouvrir la main. Pensez-y, Dida, une crampe éternelle! L'argent donné, c'est comme s'il était mis à la caisse d'épargne de Dieu.

DIDA : C'est le bon Dieu qui s'occupera de moi quand mes enfants auront ratissé mes sous, hein, petit prêtre? *(A un mendiant qui sort de l'ombre :)* Fous le camp, toi, avec tes béquilles! A cette heure-ci, la marche est pour moi toute seule!

Elle disparaît dans l'obscurité au milieu d'un bruit sauvage de querelle. Le Père Cicca tourne à gauche et monte à pas lents l'escalier de son immeuble, jusqu'à sa chambre au premier étage.

LE PÈRE CICCA : Tout à l'heure, je n'ai pas trouvé ce qu'il fallait dire à Mademoiselle di Credo, qui a des chagrins de famille; et maintenant, Dida, qu'avais-je besoin de lui servir cette citation de Dante? Tu ne sais pas parler à tes paroissiens, Père Cicca. Tu es celui qui prononce les mots éternels, et, quand ils attendent de toi une petite parole pour eux seuls, tu bafouilles... On a toujours pensé au séminaire que tu n'avais pas de grands moyens... Et eux, cependant, ils s'agitent, ils souffrent... Et tu as reçu cette terrible grâce de deviner leur souhait, leur désir, leur vœu : ce n'est pas toujours beau. « Moi, moi, moi!... » Ils s'égosillent à crier. Et il y a aussi ceux en qui tu ne comprends pas très bien ce qui se passe : ceux qui sont marqués pour la mort ou ceux qui vont faire un malheur... Et toi, toi qui les juges?... Toi qui pries pour ne pas avoir à subir une nouvelle remontrance de ton évêque, toi qui envies ton cousin qui est dans les assurances parce qu'il a une belle petite voiture jaune vif et une montre en or... Tu n'es même pas propre : regarde ces taches sur ta soutane. Et tu remontes dans ta petite chambre nue, et tu te sens incompétent, inutile. Et, tout à coup, les murs s'envolent; un flot de douceur coule en toi comme le plus pur des miels; une brise te soulève, plus fraîche qu'aucune brise de ce monde : ces beaux espaces, ces beaux espaces nus... Dieu... Dieu... Dieu... Comment l'expliqueras-tu, Dieu, à Dida qui n'aime que l'argent; comment le montreras-tu à cet homme qui de temps en temps fait dire une messe pour un enfant malade; comment assureras-tu Rosalia di Credo que Dieu est partout et pas seulement dans une maison de Sicile?... Comment les feras-tu glisser du mot *moi* au mot *Dieu*? Et il y a aussi tout ce qui passe ton entendement; tout ce sur quoi on ne te demande pas ton avis : le gouvernement, les lois, anciennes et nouvelles, les faibles et les forts, les prisonniers, les discours du chef de l'État... Et tu te dis quelquefois qu'on donne à César plus qu'il ne revient à César... Mais ne confonds pas tout : ce ne sont pas tes idées de prêtre; ce sont tes idées à toi, petit Cicca. Comment feras-tu le pont entre tout cela et Dieu?... Et que tu sois bête n'est pas ce qui importe. Ah, Seigneur, pourquoi m'avez-vous donné cette certitude qui n'est pas accordée aux autres, cette joie que je ne sais pas leur faire partager? Tant qu'il y aura dans la rue une vieille femme sourde, un mendiant aveugle, tant qu'il y aura dans la rue un âne suppurant sous son bât, un chien affamé qui rôde, faites que je ne m'endorme pas dans la douceur de Dieu...

ACTE II

Durant tout cet acte, le décor consistera en deux pièces au centre du plateau, qui constituent l'appartement de Marcella. La pièce de droite, qui s'éclaire d'abord, est censée avoir une entrée sur le devant donnant de plain-pied rue Fosca. La pièce de gauche, qu'on ne verra qu'ensuite, quand la lumière s'éteindra dans la pièce de droite, communique avec celle-ci. Le reste du plateau est invisible et supposé représenter la rue Fosca et d'autres ruelles de ce quartier de Rome. Des lumières piquées çà et là à des hauteurs différentes donnent l'impression de fenêtres éclairées et de réverbères dans l'obscurité grandissante.

SCÈNE I

La chambre de Marcella.

On découvre Massimo et Giovanna debout au premier plan, à droite, sur ce qui est censé le seuil de l'appartement de Marcella. Toute la scène baigne dans une pénombre de crépuscule.

MASSIMO : C'est ici. Je vais la prévenir.

GIOVANNA : C'est que je suis très pressée... Comme j'habite Ostie...

MASSIMO : Entrez. On est mal dans ce corridor. Et puis, les gens qui passent peuvent entendre. *(Ils remontent de quelques pas vers le centre du plateau.)* Décidément, il fait déjà presque nuit. J'allume. *(La lumière découvre ce qu'il faut qu'on voie de l'intérieur d'une chambre. Une table ronde, quelques chaises de paille. Une cafetière, deux tasses, un journal sur cette table bien éclairée par une suspension électrique. Au fond, au bord de l'ombre, un lit de fer avec une veilleuse au pied d'une image pieuse, placée un peu de guingois. Une commode avec pot à eau et cuvette. A soi-même, regardant Giovanna :)* Ainsi, c'est elle... A peu près telle qu'il me l'avait décrite à Vienne... Autoritaire... Timide, pourtant. Et de haut en bas, en noir. En grand deuil? Non... Pas encore. Et puis, elle serait déjà drapée de crêpe des pieds à la tête... Tout simplement une petite bourgeoise qui croit qu'en noir on est toujours bien.

LA VOIX DE MARCELLA, *venant du fond à gauche, où est*

censée être la petite cour de l'arrière-boutique. Elle s'adresse rêveusement à Massimo : Sais-tu, Massimo? Ces pigeons ont dévoré tout le grain que j'ai mis pour eux tout à l'heure... Ils viennent sur mes mains... Ils picorent mes lèvres... Et quelle force, quand ils s'accrochent avec leurs pattes roses... Mais je ne compte pas, tu comprends... Si par hasard, à ma place, c'était demain la voisine...

MASSIMO, *impatient :* Viens, Marcella. On t'attend ici.

MARCELLA, *se rapprochant, entrevue dans la pénombre qui baigne encore la pièce de gauche :* Mon passereau, pourquoi avoir allumé la lampe? J'ai ce soir tant de choses à te dire... On est mieux quand il fait nuit.

GIOVANNA, *à soi-même :* Ils sont amants? Quelle honte... Et c'est parmi ces gens-là que Carlo... Et moi qui m'aventure dans ce milieu louche; moi qui ai suivi ce jeune étranger à l'intérieur de la maison, comme une complice...

MASSIMO, *à soi-même, regardant de nouveau Giovanna :* Elle non plus n'a pas vu les journaux du soir. Sans quoi, quelle joie pour elle, quel triomphe... Et pour l'autre... J'ai honte d'être le seul à savoir déjà.

Marcella, surprise, mais non embarrassée, par la présence d'une visiteuse, s'arrête sur le seuil de la chambre en pleine lumière.

MASSIMO : Madame Carlo Stevo vient nous demander des nouvelles, Marcella.

GIOVANNA, *alarmée :* Il sait mon nom?

MARCELLA, *violemment :* Mais je n'ai pas de nouvelles! Explique-le-lui, Massimo!

GIOVANNA, *écartant Massimo d'un geste :* C'est à Madame Marcella que je suis venue parler.

MARCELLA, *fermement :* Massimo Iakovleff ne serait pas ici s'il n'était pas au courant de tout. C'était... C'est le meilleur ami... de Monsieur Stevo.

GIOVANNA, *insultante :* Je ne m'attendais pas à cette façon cérémonieuse d'appeler mon mari.

MARCELLA, *doucement :* De Carlo alors... de notre Carlo. *(Plus doucement encore :)* Le pauvre!

MASSIMO *:* Asseyez-vous, Madame Stevo. *(Ils s'asseyent. Les trois visages éclairés par la lampe se figent un instant dans une méditation personnelle. Giovanna se dégante, déboutonne machinalement son manteau. Machinalement, Massimo allume une cigarette. A soi-même :)*... Carlo Stevo... Carlo Stevo... Malgré nous, nous en parlons comme d'un mort. Et nous voilà assis tous trois autour de cette table, comme au cours d'une séance spirite, et chacun de nous évoque son absent. Carlo Stevo réfugié à Vienne; cet étranger aux vêtements élimés à qui un jeune homme offrait un faux visa sur un faux passeport; et sa confiance, sa terrible confiance; et cette étrange sincérité qui tuait les mensonges, mes mensonges; et cette ferveur; et ce besoin passionné de former un disciple... Qu'en feras-tu, le reste de ta vie, de ce souvenir?

MARCELLA, *à soi-même :* Carlo Stevo... La femme de Carlo Stevo... Déjà mariés, je crois, quand Alessandro me l'a fait connaître; il m'a donné Carlo, comme tant de choses... Mais c'est seulement quand j'ai voulu redevenir indépendante, libre de mes mouvements, utile, quand j'ai trouvé ici cette espèce d'asile... Pour lui aussi, c'était un asile. Contre eux? Non, c'eût été enfantin... Mais contre elle; contre ce qu'elle représentait. Et quand il est rentré de son exil volontaire à l'étranger, quand je l'ai persuadé d'essayer, d'agir... Ce voyage à Genève au cours duquel des sympathisants nous ont aidés à passer la frontière, ces tracts glissés sous les portes aux petites heures du jour, ce désespoir qui nous envahissait tous les deux quand, assis côte à côte, ici, dans cette chambre, nous écoutions brailler à la radio la voix du Dictateur, cette angoisse qui nous tint éveillés toute une nuit, la veille du jour où... Plus proches l'un de l'autre que si nous avions été... Plus unis... J'ai raison d'essayer ce soir de faire quelque chose.

GIOVANNA, *à soi-même :* Carlo Stevo... Et l'avenir semblait sûr. Le succès était là; l'argent venait, et les honneurs... La bonne vie... Évidemment, il y avait toujours cette tristesse à cause de l'enfant. Non, il n'en a jamais tout à fait voulu, de cette existence; nous ne lui avons jamais tout à fait suffi. Ces longues absences, ces fréquentations dangereuses... Tout ce que je n'ai jamais bien compris... Et cependant, sans cette femme... Il n'était pas né pour s'occuper de politique... Ah! Force-toi; parle-lui quand même; tâche de n'être pas venue pour rien; débrouille-toi pour savoir quelque chose! *(A Marcella :)* Voici plus de trois mois que je suis sans nouvelles... Je n'ai pas l'habitude de rendre visite à des inconnus... Mais j'avais cru... Je m'étais dit que vous aviez peut-être des arrangements que nous n'avons pas...

MARCELLA : Carlo n'écrit à personne. Nous n'avons pas d'arrangements, comme vous dites, et quant aux cartes officielles, timbrées par le gouverneur de l'île, on les intercepterait si elles contenaient quoi que ce soit d'essentiel. Je ne le vois pas nous informant qu'il va bien et qu'il fait beau temps.

GIOVANNA, *comprenant mal, grandiloquente :* Mais il ne va pas bien! Vous ne vous souvenez pas qu'il lui arrivait de cracher le sang? On le croyait guéri, et puis... Même quand j'étais là pour le soigner... Qui sait si au moment où je parle il n'agonise pas dans l'infirmerie de la prison, l'infortuné?

MARCELLA : Malade ou non, c'est tout un, en ce qui les concerne... Vous ne vous imaginez pas qu'ils vous le rendront vivant?

GIOVANNA : Et pourquoi pas?... On a fait circuler une pétition à l'étranger... On compte sur Sa générosité, à LUI, sur Sa clémence... On parle... comment dit-on... d'une amnistie.

MARCELLA : Et je suis payée pour y croire, moi, à sa générosité et à sa clémence... Mon père a été son camarade de jeunesse à l'époque où il n'était encore qu'un militant socialiste... Mon père l'a soutenu dans des moments durs... Et pourtant il est mort démuni de tout, mon père, destitué de son misérable poste d'instituteur, bafoué, sali... Et j'ai presque perdu ma place d'infirmière... Vous y croyez, aux tirades des journaux, aux assurances que l'ordre et la légalité règnent jusque dans les baraquements des îles? Ce qu'on peut souhaiter de mieux à Carlo Stevo, c'est qu'il meure...

GIOVANNA, *debout, saisie de furie :* Et cela vous arrangerait, j'en suis sûre! Et je vous plaignais presque! Je me disais : cette femme est comme moi : elle souffre... Je vous détestais, mais je vous plaignais presque... Une femme que Carlo... Cet homme si difficile, si raffiné, cet homme pour qui on n'était jamais assez correcte et assez bien mise... Et j'étais timide... Je m'étais habillée pour faire cette visite... Et je trouve cette femme négligée, grossière, cette espèce d'ouvrière en châle qui n'a pas honte d'avoir été cause de tout...

MASSIMO, *à Marcella :* Laisse-la : elle souffre.

GIOVANNA, *insolente :* Pardon, je suis chez elle; j'oubliais... *(A Massimo, avec une maladroite ironie :)* Je m'excuse de parler ainsi de votre amie devant vous, Monsieur.

MASSIMO, *négligemment :* Ne vous dérangez pas pour moi, Madame Stevo.

MARCELLA, *debout :* Vous le protégiez contre nous, n'est-ce pas? Vous tâchiez de l'enfermer dans sa bonne existence bourgeoise? Vous lui conseilliez de faire sa paix avec l'Autre, d'écrire de bons romans, de quoi s'offrir chaque année un voyage à Paris ou une nouvelle voiture. Est-ce que je ne connais pas l'intérieur des ménages? Vous profitiez de sa maladie pour tuer en lui le révolutionnaire, le héros, l'apôtre... Carlo me disait bien que son mariage avec vous avait été l'une des pires suites de sa pneumonie...

GIOVANNA : Il vous le disait? A vous?

MARCELLA : Et à qui d'autre? Qui d'autre s'intéresse au mariage de Carlo Stevo? *(Elle se rassied et s'isole farouchement, la tête dans les mains. D'une voix dolente :)* Je suis folle de m'occuper d'elle ce soir. Renvoie-la, Massimo; dis-lui qu'elle s'en aille.

MASSIMO, *à Giovanna, lui touchant le bras :* Cela suffit, Giovanna, ces querelles de femme. Carlo m'a souvent parlé de toi durant son séjour à Vienne. Il disait : « Vanna est belle, et elle ne sait pas qu'elle est belle. » Il t'aimait plus que tu ne penses. Il montrait ta photographie et celle de l'enfant. Il voulait faire mettre la petite dans un sanatorium du Tyrol.

GIOVANNA, *radoucie malgré elle se rassied en s'épongeant les yeux :* Dire qu'il n'a pas su me faire un enfant qui soit comme les autres... S'il ne m'avait pas laissé cette croix... Je ne vous connais pas, Monsieur, mais vous avez fréquenté mon mari, vous comprenez... On dirait qu'elle me blâme de l'avoir soigné. Bien entendu, je l'ai soigné. Je ne le compromettais pas, moi; je ne me mêlais pas de politique. Je ne l'ai pas poussé à sa perte pour m'en débarrasser. Et vous vous rendez compte où j'en suis, avec un mari qui fait de la prison, et mes parents que j'adore, mais qui sont tout de même, comment dire?... Car enfin, j'ai changé, moi, tandis qu'eux, les pauvres... Mon père qui se plaint que le commerce va mal; ma mère qui dit son chapelet et joue à la loterie le samedi soir... *(A Marcella, âprement :)* Ne haussez pas les épaules; vous êtes femme; vous savez ce que c'est... L'enfant, par exemple... Même avant la prison, j'étais seule... Ah, Sainte Vierge, est-ce que vous croyez que c'est une vie... Si encore j'étais de celles qui se cherchent un autre homme! Et quand j'arrive ce soir, je vous trouve ici, avec votre amant...

MARCELLA, *se forçant à rire :* Ah, Massimo, c'est trop bête!

GIOVANNA, *insolente :* Votre locataire?

MARCELLA, *secouant la tête :* Je ne loue plus cette chambre.

MASSIMO *se lève, déchirant la bande du journal gisant sur la table :* Carlo Stevo vient de rétracter par écrit ce qu'il appelle ses erreurs. Il retire ses accusations contre certains chefs de file du parti au pouvoir. Sa lettre équivaut à une espèce de demande en grâce.

MARCELLA, *se levant, bouleversée :* C'est faux!

MASSIMO : C'est vrai, Marcella. C'est déjà dans tous les journaux du soir.

MARCELLA, *indignée :* Tu crois leurs mensonges?

Elle s'empare du journal.

MASSIMO : On m'a montré la lettre.

MARCELLA : Qui?

Mais elle continue avidement à lire. Il se penche sur son épaule.

MASSIMO : C'est vrai. Pour une fois, presque tout est vrai. Les conseils que vous donniez à votre mari ont fini par être suivis, Madame Stevo.

Giovanna prend le journal que Marcella lui abandonne, et lit, penchée vers la lampe.

MARCELLA, *chuchotant :* Massimo, depuis quand le sais-tu?

MASSIMO, *même jeu :* Depuis ce matin.

MARCELLA, *même jeu :* Pourquoi ne m'as-tu rien dit?

MASSIMO, *même jeu :* Par pitié.

MARCELLA, *même jeu, surveillant du regard Giovanna :* Il a vraiment livré des noms? Quels noms?

MASSIMO, *même jeu :* Deux ou trois noms compromis. Ne t'inquiète pas : sa lettre les embarrasse au fond plus qu'elle ne nous gêne. N'empire pas les choses, Marcella. Renonce à ce à quoi tu penses; n'aggrave pas sa situation qui est peut-être atroce. Attends pour agir que nous sachions où nous en sommes.

MARCELLA : Je ne t'ai rien confié.

MASSIMO : Tu es plus transparente que tu ne crois.

GIOVANNA, *repliant le journal, peu à peu inondée de bonheur :* Mais alors... Mais maintenant... Merci, mon Dieu...

Elle remet ses gants, reboutonne son manteau, reprend son sac, se poudre le visage.

MASSIMO, *la regardant, à soi-même :* La malheureuse! Elle s'imagine qu'elle va bientôt le revoir.

GIOVANNA : Madame... Monsieur... *(A Massimo :)* Non, c'est inutile : je trouverai la porte.

Un coup de sonnette retentit.

MARCELLA : Déjà!

MASSIMO : Ce ne sont pas eux; ils ne sonnent pas ainsi. Mais laisse-moi ouvrir.

MARCELLA : Je ne veux pas qu'on te trouve ici... Passe par l'autre chambre.

On sonne de nouveau. Giovanna ricane. Marcella referme sur Massimo la porte de gauche et se dirige vers ce qui est censé être l'entrée donnant sur la rue Fosca. Elle recule en apercevant Alessandro.

GIOVANNA, *insolemment :* On ne loue plus de chambres.

MARCELLA, *appuyant sur le mot avec une sorte d'emphase :* Mon mari.

GIOVANNA : S'il a des secrets à dire, je lui conseille de parler bas.

Elle sort presque en courant. Alessandro se débarrasse de son imperméable sur une chaise à l'entrée de la chambre, pénètre dans la zone éclairée.

SCÈNE II

ALESSANDRO : Qu'est-ce que cette folle?

MARCELLA : Vous la connaissez. La femme de Carlo Stevo.

ALESSANDRO, *l'observant :* J'arrive en pleine crise. *(Avec un faible effort pour plaisanter :)* C'est le bon moment pour un médecin. Puis-je m'asseoir?

MARCELLA, *debout :* Oui.

Il s'assied.

ALESSANDRO : Vous êtes hors de vous... Que vous a dit cette vipère?

MARCELLA : Rien. Elle venait chercher des nouvelles.

ALESSANDRO : Et vous lui en avez donné?

MARCELLA : Je ne sais que ce qu'on lit dans les journaux du soir. Vous venez triompher, je suppose? Vous vous proposiez d'observer sur moi l'effet de ce désastre? Ce n'en est pas un. Repartez avec l'assurance que je ne souffre pas.

ALESSANDRO : J'ai de meilleures raisons pour vous voir.

MARCELLA : Je ne tiens pas à les connaître.

ALESSANDRO : Je tiens, moi, à vous les expliquer. Mais d'abord... *(Il lui prend la main.)* Laissez-moi m'assurer que la Marcella que je connais est encore en vie.

MARCELLA, *retirant violemment sa main :* Assez, Alessandro! Je ne veux ni attouchements ni consolations.

ALESSANDRO : Calmez-vous. Je n'ai pas l'intention de vous prendre par surprise. *(Un temps.)* Vous êtes-vous jamais demandé ce que j'ai fait sans vous depuis quatre ans?

MARCELLA : Je n'ai pas eu à me le demander : vous êtes en passe de devenir ce que vous souhaitiez être : cette sommité que consultent obligatoirement les millionnaires et les gens célèbres. Vous avez pris part à quelques congrès; votre photographie a paru en bonne place dans *Le Faisceau médical, An XI;* vous avez opéré un personnage important du régime, ce qui vous vaut, dit-on, l'inestimable faveur du grand homme. Est-ce là tout? Je suppose que votre compte en banque a décuplé depuis quatre ans.

Elle s'assied. Il ne cesse, tout en parlant, de l'observer et d'examiner la chambre.

ALESSANDRO : Je ne vois pas pourquoi vous ne m'approuvez pas de vivre comme un ouvrier du travail de mes mains. *(Il les étale avec complaisance.)* Des mains de virtuose, disiez-vous au temps où ma technique de chirurgien vous intéressait.

MARCELLA : Et c'est cette virtuosité que je hais. J'ai vite compris que rien ne comptait pour vous, sauf cette habileté dont vous faites parade. La science ne vous tient pas au cœur. L'humanité...

ALESSANDRO : Épargnez-moi vos majuscules.

MARCELLA, *d'abord plus douce, puis amère :* Je ne conteste pas vos talents, Alessandro, je vous ai vu à l'œuvre. Mais vos malades ne sont pour vous que des clients qui paient, quoi encore, l'occasion d'un triomphe ou d'une expérience. Expérimenter avec le corps humain, c'est votre passe-temps préféré, même en dehors de la chirurgie.

ALESSANDRO : Ne simplifiez pas tout, Marcella. Avec le corps humain, oui, et quelquefois aussi avec l'âme humaine.

MARCELLA, *d'une voix légèrement tremblante :* En tout cas, mon âme à moi ne vous intéressait pas.

ALESSANDRO : En êtes-vous sûre? A vrai dire, le mot est démodé dans mon vocabulaire comme dans le vôtre. Continuez à me parlez de moi, Marcella. J'aime à voir que vous vous intéressez encore à mes faits et gestes.

MARCELLA, *âprement :* Que reste-t-il à dire? Vous avez chassé à Grosseto avec une altesse. Vous avez démoli contre un mur, échangé ou vendu deux ou trois voitures de course... Vous avez eu deux ou trois maîtresses, de ces femmes voyantes, à manteau de vison, dont les gens au restaurant ou au théâtre chuchotent le nom quand elles passent... Vous vous êtes fatigué d'elles...

ALESSANDRO : C'est un hommage que je vous rends.

MARCELLA : Vous leur avez demandé comme à moi un certain nombre de sensations, y compris celles du danger. Quand j'y pense, nous représentons dans votre vie la même chose que vos Bugatti.

ALESSANDRO, *s'efforçant de faire dévier la conversation en plaisanterie :* Un transport, quoi?

MARCELLA : Oui. C'est ce qui explique que j'en ai eu vite assez de vous servir de véhicule.

Elle s'assied; Une sorte d'intimité sensuelle s'est malgré tout rétablie entre eux.

ALESSANDRO, *même jeu :* A propos d'excès de vitesse, je vois que vous vous souvenez toujours du soir où vous avez préféré continuer à pied la route de San-Marino.

MARCELLA : Je ne veux pas me suicider pour rien.

ALESSANDRO, *gravement :* Vous me rassurez. *(Il se lève et fait quelques pas dans la chambre.)* Savez-vous que votre langage vous ferait reconnaître les yeux fermés, même si vous déguisiez votre voix? J'y retrouve l'influence des poètes du XIXe siècle, ces profonds imbéciles, qui encombraient le cerveau et la bibliothèque de votre père, et que vous avez cru retrouver dans Carlo, mon influence à moi, qui tout au moins vous enseignais la netteté, et... Vous n'avez pas changé, Marcella.

MARCELLA : Je n'en dis pas autant de vous. Vous avez vieilli.

ALESSANDRO : Je me suis usé. Croyez-moi, les vieillards ne s'usent plus; ils se conservent. S'user, c'est le contraire de vieillir. Vous fumez?

MARCELLA : Non.

ALESSANDRO : Je vois : guérie de mes vices. Et que fait ici ce cendrier plein de cendres?

MARCELLA, *enlevant l'objet et se levant pour le poser sur la commode :* Ne faites pas briller pour si peu vos talents d'observateur. J'ai déjeuné avec un ami.

ALESSANDRO : Le petit Iakovleff?

MARCELLA : Vous me faites surveiller? Quelle sollicitude!

ALESSANDRO : Je veille sur vous. C'est plus nécessaire que vous ne croyez. Vous figurez-vous qu'il suffit pour disparaître d'aller vous terrer à l'autre extrémité de Rome? Il ne m'a pas été très difficile d'apprendre qu'un petit grainetier qui avait besoin d'aller respirer l'air de l'étranger vous avait laissée en charge de son fonds de commerce... A propos, ce décor vous plaît?

MARCELLA : Il ressemble à celui où je vivais avant de vous connaître. C'est quelque chose qu'une existence sans compromis.

ALESSANDRO : En ceci, je suis d'accord avec vous, ma chère. *(Il continue à marcher dans la chambre, touchant un objet, déplaçant un livre.)* Ce que je comprends mal, c'est que des gens comme vous, qui prêtez à l'adversaire une sorte de malice surhumaine, se soient crus à l'abri derrière ce camouflage ridicule. Écoute, comment t'expliques-tu que tu aies pu continuer à vivre ici, à peu près tranquille, apparemment libre, avec les idées et les amis qu'on te connaît?... Rends-moi d'ailleurs cette justice que je ne me suis pas imposé durant ces quatre ans...

MARCELLA, *amèrement :* Je vois... Je serais aux îles Lipari, si... Reste à savoir ce qui se cache derrière cette bonté.

Elle se rassied.

ALESSANDRO, *se rasseyant à son tour, doucement :* Rien

d'autre que l'envie de ne pas voir une femme finir au bord d'une saline. Ma femme... Puisque enfin nos lois ne reconnaissent pas le divorce... Et sans prétendre penser à vous plus souvent que je ne le fais, j'avoue qu'il m'arrive de me demander si j'ai toujours bien joué les cartes que j'avais en main...

MARCELLA : La question ne se pose pas. Vous auriez pu faire mieux que d'épouser votre infirmière.

ALESSANDRO : Ma meilleure infirmière. Personne ne vous a encore remplacée, Marcella.

MARCELLA : Est-ce une offre d'emploi?

ALESSANDRO, *irrité :* Non certes. Et ce n'est pas non plus une invite à rejoindre le domicile conjugal. Pensez-vous que j'aie toujours trouvé délicieux ce mélange de bons moments et de mauvais quarts d'heure, ces accès de vertu d'héroïne de roman populaire, ces rancunes de classe jusque sur l'oreiller...

MARCELLA : Tout cela vous a assez plu pour vouloir faire de moi la Signora Sarte.

ALESSANDRO, *debout :* Je sais. J'ai mal calculé en supposant que le mariage assagit une femme... Quand je pense aux ennuis de famille que cette décision m'a coûtés... Passons. Et même en admettant que je me sois parfois montré ineptement exigeant ou sottement habile... Vous calculiez aussi, du reste. Je me rends compte que si je n'avais pas été à même de rendre service à votre père, ce raté aigri que vous travestissez en grand homme, la cérémonie ne vous aurait pas tentée.

MARCELLA, *debout, violemment :* Vous n'avez rien fait pour lui.

ALESSANDRO : Après sa destitution, non. Je ne m'y étais pas engagé.

MARCELLA, *même jeu :* Et c'est pour m'assagir, je suppose, qu'au lendemain de la cérémonie, comme vous dites, sitôt arrivés à Cannes, vous m'avez infligé une de vos anciennes maîtresses, cette Parisienne plâtrée retrouvée sur la Croisette.

ALESSANDRO, *doucement ironique :* Encore un hommage. Il y a peu de femmes légitimes qu'on soit si pressé de présenter à une maîtresse.

MARCELLA, *avec une infinie tristesse :* Je vous supplie, Alessandro... Ne revenons pas l'un et l'autre sur de misérables démêlés d'alcôve... La politique nous a séparés, voilà tout. Auparavant, j'ai cru vous aimer.

ALESSANDRO : Non. La politique entre un homme et une femme n'est jamais qu'un mauvais prétexte... Et puis d'ailleurs, vous me connaissiez. Je n'étais pas assez fou pour ne pas m'être inscrit au Parti. De plus, toute hypocrisie mise à part, je l'admire, cet ancien maçon qui tâche de bâtir un peuple. Vous m'accusez d'aduler le succès; vous dites d'autre part que Ses succès ne sont que passagers... Soit. Je ne fais donc que devancer le temps où cet homme fera dans l'Histoire figure de grand vaincu, comme tous les vainqueurs. En attendant, je ne refuse pas aux résultats pratiques mon estime viagère... Cela ne vous dit rien, cet homme QUI EST PARVENU?

MARCELLA : Vous oubliez que je l'ai vu parvenir. Mon père corrigeait ses premiers essais à la gloire du socialisme.

ALESSANDRO : Croyez-moi, Marcella : il en est des doctrines qu'on trahit comme des femmes qu'on abandonne; elles ont toujours tort. Allais-je compromettre ma position péniblement acquise pour voler au secours d'un fanatique comme votre père ou d'un songe-creux comme Carlo Stevo? L'une des leçons de l'expérience, c'est que les perdants méritent leur défaite. Mais une juste vue des nécessités politiques n'est sûrement pas ce qu'on peut attendre de la maîtresse du martyr.

MARCELLA : Je n'étais pas sa maîtresse.

ALESSANDRO : Je m'en doutais bien... Croyez-vous que je ne connaisse pas Carlo? Personne n'est plus qualifié que moi pour faire ce soir son oraison funèbre.

MARCELLA : Vous dites?

ALESSANDRO, *inclinant la tête :* Oui. Carlo Stevo est décédé aux îles Lipari il y a à peu près vingt-quatre heures.

MARCELLA, *indignée :* Et vous n'osiez même pas m'annoncer tout simplement cette nouvelle! Ils l'ont tué?

ALESSANDRO : Le mot s'applique mal à un malade qui n'avait pas six mois à vivre. Dites plutôt une forme de suicide. *(Marcella se tait.)* Il a eu ce qu'il voulait, Marcella. Ce... C'était un rêveur : ce mot dit tout pour quelqu'un qui sait que les réalités ne pardonnent pas. Un Stevo ne pouvait jouer avantageusement qu'un seul rôle, celui de martyr... Remarquez que je n'insiste même pas sur sa rétractation : il se peut qu'on l'y ait contraint; il se peut aussi qu'une lueur de bon sens lui soit venue avant de mourir. Nous ne saurons jamais : peu importe... Mais, en un sens, la nouvelle de sa mort m'émeut... Nous étions liés, avant que... Vous n'écoutez pas? *(Marcella se tait. Irrité :)* Si vous m'aviez demandé conseil, je vous aurais dit qu'on ne fait pas un homme d'action d'un Stevo, pas plus qu'une espèce de cygne ne s'improvise oiseau de proie. Vous vous êtes trompée, voilà tout. Depuis votre rencontre, même durant ces séjours à l'étranger où il vous échappait en partie, des amis m'ont dit qu'on voyait en lui, à je ne sais quoi de faussé, qu'il avait cessé d'être lui-même... Il s'obligeait à être le héros que vous souhaitiez qu'il fût... Quand on est suspect au régime, on ne rentre pas dans son pays préparer un coup d'État ridicule... On ne confie pas tendrement ses projets à un petit ami russe ou tchèque, rencontré par hasard dans un restaurant de Vienne, et qui n'était du reste qu'un agent provocateur.

MARCELLA : C'est faux!

ALESSANDRO : Notez qu'il s'en doutait peut-être. Ce n'était pas un imbécile, Carlo... Mais quoi? Il s'était laissé entraîner par vous dans l'action, trop heureux, je suppose, d'échapper à la nécessité de penser... Harcelé par vous, il a très bien pu par fatigue s'exposer de plein gré à la catastrophe... Et quant à ce garçon qui s'est hâté de le rejoindre à Rome (j'ai suivi de près toute cette histoire) et que vous avez si charitablement accueilli, je veux croire que son seul but n'était pas de compléter ses informations à vos dépens. On ne fréquentait pas Carlo sans l'aimer. On ne te fréquente pas, toi, sans t'aimer... Si le petit ne vous a pas prévenus que la souricière se refermait, c'est peut-être qu'il n'était plus temps, et le moyen d'avouer à ceux qu'on aime qu'on a commencé par les tromper?... Et ce cher Massimo a besoin de l'argent de la police pour entretenir une maîtresse.

MARCELLA : C'est faux! C'est faux!

ALESSANDRO : Je vous assure. Une de mes malades. Une petite femme assez fanée... Cela vous indigne? Il serait curieux que vous l'aimiez.

MARCELLA, *se dominant, avec dérision :* Est-ce là tout? Revenons à la mort de Carlo Stevo. Si vous avez d'autres détails, ne me les cachez pas.

ALESSANDRO : Je vous conseille de ne pas laisser votre imagination prendre le dessus. Je vous dis ce qu'on m'a dit. *(Plus doucement :)* J'ai eu tout à l'heure un coup de téléphone au moment où je m'apprêtais à me rendre à la réception au Palais Balbo. La nouvelle sera gardée secrète pendant quelques jours. Tout de même, j'ai cru préférable...

MARCELLA, *luttant contre les larmes :* Je vous remercie.

Elle sanglote.

ALESSANDRO : Eh bien, ma chère, moi qui croyais que vous ne lui pardonniez pas sa rétractation...

MARCELLA, *exaltée :* Ils lui auront extorqué cette lettre! Un moment de défaillance, la faiblesse d'un homme qui meurt... Mais ne voyez-vous pas que tout est effacé, expliqué, payé? Allez plutôt au Palais Balbo vous faire un succès en insultant nos martyrs!

ALESSANDRO, *exaspéré, abattant ses cartes :* Assez! Assez de grands mots, Marcella!... Ne t'obstine pas! Ne refais pas un héros de ce malheureux homme... Tu admets toi-même que vous n'avez jamais rien été l'un pour l'autre... Te revoilà seule... Seule jour et nuit... Ah, dis-toi bien qu'il n'y a pas une minute de notre vie commune que je ne regrette, même les disputes, même les scènes... Tu ne vas pas continuer à t'enterrer parmi ces larves? Tu te souviens de notre première sortie, un dimanche d'automne, à Reggiomonte? Tu m'aimais, ce jour-là...

MARCELLA : J'étais folle de vous.

ALESSANDRO : C'est la même chose.

Il la saisit, lui prend le visage entre les mains, essaie de l'embrasser. Marcella s'arrache à lui et recule vers le fond de la chambre.

MARCELLA, *d'une voix bouleversée :* Reste où tu es.

ALESSANDRO : Tu as peur? Peur de toi?

MARCELLA : Je t'aime encore. C'est honteux, mais je t'aime encore. Et tu le sais bien. Mais tout est fini.

Un temps. Marcella prend un peigne et se lisse les cheveux.

ALESSANDRO, *doucement, se rapprochant du lit situé au bord de la pénombre :* Tu couches ici?

MARCELLA, *d'une voix sans timbre :* Oui.

Il caresse du bout des doigts la couverture, remonte jusqu'à l'oreiller. Soudain, alerté :

ALESSANDRO : Tiens! Vous dormez mieux, je pense, avec ce revolver sous votre oreiller? *(Il prend l'arme et l'examine avec curiosité.)* Je le reconnais... Bien entretenu. Il est chargé?

MARCELLA, *le lui arrachant des mains :* Pas à votre intention. Votre mort ne profiterait à personne.

ALESSANDRO, *la dévisageant attentivement :* Et comme je crois me souvenir qu'autrefois, convaincue sans doute qu'il faut servir l'humanité jusqu'au bout, vous condamniez pompeusement le suicide...

MARCELLA, *l'interrompant :* Je ne le condamne plus. Trop de gens y sont acculés. Mais il est vrai qu'il y a d'autres moyens de mourir.

ALESSANDRO : Donc? *(Marcella se tait. Il reprend lentement, à voix basse :)* Ai-je raison de me rappeler que votre père voyait dans l'attentat politique le seul recours des opprimés? *(D'un geste un peu dément, Marcella met un doigt sur sa bouche. Le visage livide doit faire l'effet d'un beau visage de Méduse. Au bout d'un instant, avec dérision :)* De sorte que cette velléité même ne provient pas de vous. Voilà bien les femmes!

MARCELLA : Si je le fais, ce sera plus qu'une velléité.

ALESSANDRO : Ce à quoi vous pensez est plus difficile qu'on n'imagine. Les services d'ordre ne sont pas pour rien. Il s'expose moins que la presse n'aime à le faire croire.

MARCELLA : Il parle ce soir au balcon du Palais Balbo.

ALESSANDRO, *ébranlé malgré lui :* Je ne suis pas dupe. Vous me tendez un piège. Quand on se propose d'agir, on n'avertit pas.

MARCELLA : J'ai confiance en vous d'une certaine manière.

ALESSANDRO : Votre projet est idiot, Marcella.

Il esquisse un geste pour reprendre le revolver qu'elle glisse dans le tiroir de la table, tournant la clef. Elle reste debout, les mains appuyées sur la toile cirée.

MARCELLA, *méprisante :* Je sais que vous ne ferez rien pour contrecarrer mes plans. Avouez-le : la destruction vous fascine. Trop curieux de l'âme humaine, comme vous dites, pour n'avoir pas envie de voir si j'irai ou non jusqu'au bout. Et puis, il serait ridicule de téléphoner à la police que votre femme, dans une heure, va essayer d'abattre Jules César.

ALESSANDRO : César ne m'a pas chargé de veiller sur lui. Vous savez tirer?

MARCELLA, *amusée :* Vous ne vous souvenez pas?

ALESSANDRO, *amusé à son tour :* Certes! *(Gravement, d'une voix persuasive :)* Écoutez-moi, Marcella. Un milicien vous saisira le bras; le coup fera long feu ou ira tuer dans la foule un badaud quelconque. Demain, les journaux vanteront Son intrépidité devant le danger. On arrêtera quelques pauvres hères qui feront les frais de ce beau geste. On expulsera quelques étrangers... Est-ce là votre but? Tenez-vous tellement à finir abattue par un garde, ou assommée, rouée de coups au poste de police?

MARCELLA : Quel ennui pour vous! Après tout, je porte officiellement votre nom.

ALESSANDRO, *à soi-même :* Elle est folle. Elle est folle, et en ce moment elle me hait. Ne pas la pousser à bout. En effet, mon nom... *(A Marcella :)* Crois-tu que Carlo Stevo t'aurait approuvée?

MARCELLA, *réfléchissant un moment :* Je ne sais pas... Peu importe.

ALESSANDRO, *à soi-même :* Gagner du temps... Une pareille tension ne dure pas. Rester avec elle. La retenir de force... Non. *(A Marcella :)* De quand date ton projet?

MARCELLA : Il me semble que je l'ai toujours eu.

ALESSANDRO : Est-ce pour cela que tu m'as pris ce revolver à ton départ de Reggiomonte?

MARCELLA, *se rasseyant à la table :* Je ne sais plus... Les idées viennent, et s'en vont, et puis reviennent, et puis s'installent... Mais ce qui me gêne... Ce vieux vol... *(Sur un ton de demi-plaisanterie :)* Paie-toi. Rendre à César...

Elle ouvre un vieux porte-monnaie posé sur la table, et en tire pêle-mêle deux ou trois coupures et quelques pièces de monnaie qu'elle pousse vers lui.

ALESSANDRO, *à soi-même :* Jouons le jeu. *(A Marcella, ramassant une pièce :)* Si vous y tenez, Marcella, j'accepte ceci, comme ceux qui craignent de porter malheur à quelqu'un parce qu'ils lui ont donné un couteau... C'est tout ce qui te reste?

MARCELLA : C'est plus qu'il ne m'en faut.

ALESSANDRO, *s'apprêtant à sortir, endossant son imperméable :* Promets-moi quelque chose, Marcella. Je n'essaie pas de te dissuader : tout serait à recommencer demain, après-demain, ou dans huit jours. Vas-y si tu veux. Fais cette promenade; va jusqu'au Palais Balbo (si toutefois tu réussis à trouver passage dans la foule); expérimente avec ta résolution et avec tes forces. Moi aussi, j'ai mes idées sur la liberté. Mais si l'occasion, ou le courage, ou la foi te manquent (crois-moi : il n'y a pas de foi pour laquelle il vaille la peine de tuer, encore bien moins de mourir), dis-toi que quelqu'un sera là, dans ces salles si pompeusement laides, de l'autre côté du balcon éclairé, parmi la cohue et les valets offrant des verres, trop heureux d'applaudir A CE QUE TU NE FERAS PAS. Après le discours, si rien n'a lieu, je serai debout à l'entrée du Corso, sur le trottoir de gauche, devant le Cinéma Mondo.

MARCELLA, *se forçant à rire :* Prêt à me reconduire?

ALESSANDRO, *gravement :* Oui, durant toute la vie.

Il pose la main sur la poignée de la porte de gauche, qu'il entrebâille.

MARCELLA : Ce n'est pas par ici.

ALESSANDRO, *avec un coup d'œil vers la porte qu'elle a refermée :* Excusez-moi. *(Elle le précède vers l'entrée. Ils s'arrêtent serrés l'un contre l'autre sur ce qui est censé être le seuil de la porte donnant rue Fosca, face à la zone d'ombre. Il reprend à voix basse :)* Souviens-toi que tu condamnais le suicide. C'en est un. Tu n'as pas une chance.

MARCELLA : Ma vie ne vaut pas plus.

ALESSANDRO : On m'offre une position en Angleterre. Si peut-être...

MARCELLA, *d'une voix presque tendre :* Non. Je te demande seulement de ne pas me trahir.

ALESSANDRO : Tu me prends pour ton étudiant russe. *(Il sort. Se retournant vers elle :)* Ce soir, dix heures et demie. En face du Cinéma Mondo. *(Elle remonte vers le centre de la chambre. Il fait quelques pas le long de la rampe, vers la droite. A soi-même :)* Folle? Non... Une héroïne? Imbécile, je le souhaiterais presque... Se peut-il que ce soir, pendant le discours, sur la place Balbo... Allons donc! Du mauvais théâtre...

Il disparaît.

SCÈNE III

MARCELLA : Je ne le reverrai jamais plus. *(Elle fait quelques pas dans la chambre, distraitement.)* Comme le temps traîne! Encore une heure, deux heures plutôt, surtout si... *(Elle trempe un linge dans le pot à eau et le passe sur son visage.)* Mes mains ne tremblent pas, c'est bon signe... Je ferais mieux de me changer... Cette bretelle rompue... *(Elle se rapproche de la porte de gauche, hésitante.)* Est-ce qu'Alessandro s'est imaginé tout à l'heure... que... Se peut-il que le petit soit resté là? Impossible. *(Elle frappe légèrement à la porte.)* Tu es là?

LA VOIX DE MASSIMO, *dans un souffle* : Oui.

MARCELLA, *incertaine :* Attends... Je te rejoins... *(Elle hésite encore, la main sur la poignée de la porte. A soi-même :)* Aux écoutes?... C'est répugnant : il est des leurs. Les informations d'Alessandro sont toujours exactes. Ou plutôt non : il a été des leurs... Et puis après?... Je devrais m'indigner, je suppose... Non... Délestée... *(Ouvrant la porte :)* Après tout, j'ai bien le droit de passer ma dernière heure avec qui je veux.

Elle entre dans la chambre de gauche qui s'éclaire progressivement d'une lumière froide et blanche, reflet de l'éclairage de la rue, provenant d'une fenêtre qu'on ne voit pas.

SCÈNE IV

On n'aperçoit qu'un lit de fer dont le chevet fait face aux spectateurs, et sur lequel Massimo est étendu à même le matelas. Tout près du lit, une chaise de paille. Sur un meuble bas, une pile de couvertures pliées. Ces simples indications doivent suffire à donner l'idée d'une chambre dégarnie, rangée après un départ.

MASSIMO, *se soulevant sur le coude :* J'ai tout entendu.

MARCELLA, *tristement, debout à droite :* Tu nous épiais?

MASSIMO : Oui... Non... Mettons que je n'aie pas voulu sortir sans te revoir. *(Marcella gémit doucement.)* Ne pleure pas... Est-ce que je pleure, moi... Et ne rougis pas non plus. D'abord, il fait nuit. *(A voix presque basse :)* Tu l'aimes. Tu aimes CET HOMME D'UN AUTRE MONDE? Malgré toi. Tu as donné pour rien ton secret à cet insolent imbécile, si sûr de n'être pas fou comme nous le sommes, si certain de voir le monde comme il est... Oh, n'aie pas peur : il n'y croit pas. Il a tremblé un moment, mais il n'y croit pas.

MARCELLA : Depuis que je lui en ai parlé, j'y crois un peu moins moi-même.

MASSIMO : Mais j'y ai cru, moi, j'y crois depuis que j'ai compris certaines questions maladroites sur la portée d'une arme à feu, et certains silences, et cet air de croire que tu suffirais, à toi seule... Tu ne m'as rien appris... Et tu la devinais, n'est-ce pas, cette espèce d'infamie au fond de mon passé? Mon passé, quel mot ridicule quand on n'a pas vingt-deux ans... On ne ramasse pas un chien dans la rue sans se douter qu'il porte sur soi de la vermine...

MARCELLA : Est-ce que je t'accuse? Tout aurait marché de la même façon sans toi.

Elle s'assied sur la chaise près du lit. Un temps.

MASSIMO, *pensivement :* C'est dur, n'est-ce pas, la mort de quelqu'un?

MARCELLA : C'est encore plus dur qu'il ait flanché avant de mourir. Mais au point où j'en suis, peu importe.

MASSIMO : La haine... Ta haine... Quand un homme et une femme s'insultent comme vous tout à l'heure, on comprend qu'ils s'aiment... Et tu l'as entendue, cette femme pleine de haine qui aimait Carlo? Ta haine... Oh, je sais, ce ne sont pas les raisons qui manquent : ton père (c'est drôle qu'on ne puisse parler de venger son père sans avoir l'air de jouer un vieux mélodrame) et Carlo, et l'autre, votre héros à tous, ce pauvre type qui se fit un jour supprimer sur les bords du Tibre (tu sais qui je veux dire), et qui lui non plus n'est pas vengé. Et quand ce ne serait que pour en finir avec ces inscriptions barbouillées sur les murs, hautes comme le mensonge, faire taire cette voix qui distribue à la foule une pâtée grossière... Mais c'est faux... Tu veux tuer César, mais surtout Alessandro, et moi, et toi-même... Faire place nette. Sortir du cauchemar. Tirer comme au théâtre pour que dans la fumée le décor s'écroule... En finir avec ces gens qui n'existent pas.

MARCELLA, *d'une voix lasse :* C'est bien plus simple. Quand j'étais infirmière à Bologne, c'était toujours moi qui faisais les sales ouvrages dont ne voulait personne. Il faut bien que ce que les gens n'ont pas le courage de faire soit fait par quelqu'un.

MASSIMO, *continuant :* ...qui n'existent pas. Est-ce qu'il existe, Lui, ce tambour creux sur lequel battent les peurs d'une classe et la vanité d'un peuple? Est-ce que tu existes?... Tu vas tuer pour essayer d'exister... Et Carlo qui a lutté, puis fléchi, puis demandé grâce, puis fait peut-être ce qu'il fallait pour n'avoir plus besoin d'aucune grâce, est-ce qu'il existait?... Nous sommes tous des morceaux d'étoffe déchirée, des loques déteintes, des bouts de compromis... Le disciple bien-aimé n'est pas celui qui dort dans les tableaux sur l'épaule du Maître, mais celui qui s'est pendu avec en poche trente pièces d'argent... Ou plutôt non : ils n'en font qu'un; c'était le même homme... Comme ces personnes qui en rêve sont toutes quelqu'un d'autre... On tue, ou on est tué; on tire, et c'est sur soi-même. Le coup de feu nous réveille, et c'est ça, la mort... Nous réveiller, c'est sa façon de nous atteindre... Est-ce que tu te réveilleras, dans une heure? Comprendras-tu qu'on ne peut pas tuer, qu'on ne peut pas mourir?

MARCELLA, *étouffant un bâillement* : Mais comment?... A supposer que je le rate, ils ne me manqueront pas.

MASSIMO, *s'exaltant* : Et tu prends ton couteau, Charlotte, et tu montes dans la diligence de Paris, et tu frappes un grand coup, comme un boucher, en plein cœur. Ah, tuer, mettre au monde, vous vous y entendez, vous, les femmes, toutes les opérations sanglantes... Et ton sacrifice ne sauve personne, au contraire. Jadis, des chrétiennes allaient dans les temples cracher sur les faux dieux pour être plus sûres de mourir... Et l'ordre public était défendu, comme tu penses bien : on les supprimait, et puis on a bâti sur leurs tombes des églises qui ressemblent à des temples... Ce faux dieu, tu ne le tueras pas. Bien plus : s'il meurt, il triomphe; c'est l'apothéose de César... Mais tu t'en moques... Tu n'as que ce moyen de crier Non quand tous disent Oui... Ah, je t'aime, moi qui n'aurais jamais assez de courage, ou de foi, ou d'espérance pour faire ce que tu fais, je t'aime... Ma sainte, ma Furie, haine qui es notre amour, vengeance qui es tout ce que nous avons de justice, laisse-moi baiser tes mains qui ne vont pas trembler...

Il se penche, lui prend les mains, les baise. Elle les retire vivement, mais en le frôlant d'une sorte de caresse.

MARCELLA : Ne divague pas pour me faire oublier ce à quoi je pense. La lettre?

MASSIMO : Eh bien?

MARCELLA : Ils te l'ont montrée. Donc, tu es encore en rapport avec eux.

MASSIMO : Carlo le savait... Crois-tu qu'on échappe si vite à un engrenage?... Je vous ai protégés tous deux plus que vous ne pensez.

MARCELLA, *riant amèrement :* Toi aussi!

MASSIMO : Qu'est-ce que tu fais?

MARCELLA, *qui a levé le bras, renversant un peu la tête, essayant de présenter son bracelet-montre au jour incertain qui vient du dehors :* Je regarde l'heure. Ne pas y aller trop tôt, attendre sur place, se faire remarquer. J'ai encore le temps.

Se laissant aller en arrière, elle appuie la tête sur l'oreiller, se couchant à demi sur le lit. Peu à peu, elle s'y étendra tout entière.

MASSIMO : Tu voudrais dormir? Tu veux que je te réveille?

MARCELLA : Non. Je n'ai pas confiance en toi à ce point-là. *(Un temps.)* La mort de Carlo. Tu savais?

MASSIMO, *à voix basse :* Depuis quelques heures... Mais je la prévoyais plus que toi.

MARCELLA : Crois-tu qu'ils l'ont tué?

MASSIMO : Qui sait?... Assez. N'y reviens pas.

MARCELLA : Tu vois que j'ai raison d'y aller ce soir.

MASSIMO, *réfléchissant :* Non. Tout de même non... Je voudrais que tu vives.

MARCELLA, *presque gaiement, parlant intentionnellement d'autre chose :* Sais-tu à quoi je pense? A vos inventions compliquées... Au faux que vous fabriquez tous avec un peu de vrai... Alessandro... Et toi... Et Carlo lui-même... La mort de mon père, par exemple... Je ne suis quand même pas cette fille héroïque qu'Alessandro se figure... Et Sandro... Oui, je l'ai aimé, je l'ai regretté, j'ai lutté contre ce regret. Mais l'amour des sens n'est peut-être pas si important qu'on croit...

MASSIMO, *avidement :* N'est-ce pas?

MARCELLA, *à soi-même :* Je mens. Même si près de la mort, je mens. Et rien n'est simple, puisqu'en même temps que Sandro... Dire qu'il m'est souvent arrivé de ne pas oser le regarder en face... Que fait-il avec cette fille qui se fait soigner? Être caressée par ses doigts, me remonter un peu sur l'oreiller jusqu'à ce que sa tête touche mon sein... Tant pis, cela ne sera pas.

MASSIMO, *lentement, avec amertume :* Pour rien... Tu y vas pour rien. Ils fausseront tout; ils tourneront tout à leur profit, même ta tentative de vengeance. On dira demain : une folle, une forcenée, la femme d'un certain éminent docteur S., qui... Un peu plus de boue jetée sur Carlo. Et de moi, ils s'en serviront aussi pour te salir.

MARCELLA, *retirant sa main :* Est-ce ma faute?

Un temps.

MASSIMO : Je voudrais pourtant que tu comprennes... Imagine un enfant qui a connu la faim, la guerre, la fuite, l'arrêt aux frontières... Un enfant qui a tout vu, mais n'a pas souffert... Pour un enfant, c'est un jeu. Un étudiant qui manque ses cours, qui accepte çà et là l'argent qu'on lui offre... Qui continue à jouer avec la vie et la mort... Un garçon qu'on a habitué à tout... « Comme ceux qui n'ont pas d'espérance. » Du jour où je vous ai connus, j'ai compris. Tu changeras peut-être le monde, puisque tu m'as changé.

MARCELLA, *tendrement :* Non, je ne t'ai pas changé. Tu es comme tu es. *(En parlant, il s'est redressé peu à peu. A son tour, elle se redresse, lui pose la main sur l'épaule.)* Écoute : Tout à l'heure, auprès d'Alessandro, j'ai un instant oublié Carlo et l'acte de ce soir. Et pourquoi?... Rentrée dans le vieux jeu des disputes et des scènes d'amour... Oh, rien qu'un instant, mais plus d'une fois, à plusieurs reprises... Je ne suis ni plus propre ni plus pure que toi.

MASSIMO, *ardemment, à voix basse :* Sais-tu, il m'arrive de penser que c'est nous qui ne sommes pas purs, nous qui avons été humiliés, rejetés, salis, nous qui sans avoir jamais rien eu avons tout perdu, nous qui n'avons ni pays, ni parti (non! non! ne proteste pas!), qui pourrions être ceux par lesquels le Règne arrive... Nous qu'on ne corrompra plus, qu'on ne peut pas tromper... Commencer tout de suite... à nous seuls. Un monde si différent qu'il ferait de lui-même crouler tous les autres, un monde sans revendications, sans brutalité, surtout sans mensonges... Mais ce serait un monde où l'on ne tuerait pas.

MARCELLA, *sans l'écouter, doucement :* Tu es comme un enfant. Si je te fais confiance, c'est parce que tu as l'air d'un enfant. *(Elle s'étire comme une femme qui se réveille. Confidentiellement :)* Du temps où je vivais avec Alessandro, je désirais un enfant. Un enfant de Sandro... Tu te rends compte : élevé dans un faisceau pour louveteaux. Dieu merci... Il y a mieux à faire pour mettre au monde l'avenir.

MASSIMO, *changeant de ton, exaspéré :* L'avenir... Ah, vous m'avez assez excédé, Carlo et toi, avec vos générations futures, votre société future, votre avenir, votre bel avenir... Votre pauvre refuge de persécutés... Tu les regarderas tout à l'heure en marchant, les gens dans la rue, n'est-ce pas, et tu te demanderas si c'est sur eux qu'on fonde un avenir. Il n'y a pas d'avenir... Il n'y a qu'un homme que tu veux tuer, et qui, même mort, se relèvera comme au jeu de massacre, et qui en frappant du poing s'imagine qu'il pétrit l'avenir... Et tu les as notés, l'autre jour, ses deux hôtes de marque, le général Gœring et le colonel von Papen, qui ont eux aussi leurs petites idées sur l'avenir... Et Carlo mort déshonoré, ayant peut-être cessé de croire en l'avenir, et toi, avec ton quart d'heure d'avenir... Ou plutôt non... *(Il se penche à son tour pour essayer de lire l'heure à son poignet. D'un ton différent, pratique :)* Dix heures moins vingt. Tu n'arriveras jamais à te faufiler au premier rang. Il me semble qu'il est à remettre à demain, ton geste qui sauvera l'avenir...

MARCELLA, *se levant :* Tu te crois bien fin. T'imagines-tu que j'aurais confié à Alessandro l'heure exacte, l'emplacement exact? J'irai attendre à la sortie, sur la petite place de Saint-Jean-Martyr. Il y a un recoin avec une statue.

MASSIMO, *tendrement :* Double jeu, toi aussi. *(Elle s'éloigne insensiblement.)* Recouche-toi, dans ce cas. Tu as encore une heure à perdre.

MARCELLA, *se rapprochant de la porte de droite :* N'insiste pas. Tu as fait de ton mieux pour faire tout manquer. Tu sais qu'on ne dispose que d'une certaine provision de force et que j'ai presque épuisé la mienne. Mais ne sens-tu pas que toute ma vie, et même notre intimité de ce soir, deviennent grotesques si je ne le fais pas? On dirait que tu m'envies mon courage.

MASSIMO, *se levant :* Tu n'aurais pas celui de ne pas le faire. Veux-tu que j'y aille à ta place?

MARCELLA, *avec un affectueux mépris :* Toi! *(Il tâte la muraille, tourne le commutateur, allumant une ampoule au plafond de la chambre. Elle se rapproche d'un pas.)* Il y a pourtant une autre chose que j'aimerais savoir avant d'aller là-bas. Carlo ne m'a jamais rien dit sur ton compte... C'est... C'est une espèce de trahison.

MASSIMO, *légèrement :* Ah! Ces jalousies de disciples... Est-ce que je sais? Laisse de côté ces vieilles histoires. *(Il allume une cigarette. Un temps.)* A mon tour de poser une question. Tout à l'heure, cette folle... Ce n'était pas ton mari qu'elle te reprochait.

MARCELLA : Tu sais mieux que personne qu'elle mentait.

MASSIMO : Est-ce un reproche?

MARCELLA : Si tu l'avais fait exprès pour m'envoyer là-bas, tu n'aurais pas mieux réussi.

Elle passe dans la chambre de droite, à peine éclairée par la lumière de la veilleuse. On la devine se penchant sur la table, ouvrant un tiroir, s'enveloppant de son châle. Massimo éteint et rejoint Marcella. Dans l'obscurité à peu près complète, on les distingue se dirigeant vers l'entrée sur la rue Fosca.

MASSIMO, *brusquement :* Carlo n'aurait pas approuvé un crime.

MARCELLA, *cherchant à comprendre :* Quel crime? *(Violemment :)* Tais-toi! Qu'est-ce que tu en sais?

MASSIMO, *amèrement, à soi-même :* C'est juste. Elle l'a connu plus que moi.

SCÈNE V

Les deux personnages reparaissent au centre, près de la rampe, arpentant ce qui est censé être une rue de Rome. On entend à la radio, supposé venu d'un immeuble, le geignement d'une chanson d'amour. Marcella se tourne vers Massimo.

MARCELLA, *âprement :* Quand je suis entrée, tout à l'heure... tu n'as pas craint... que je commence par toi?

MASSIMO : Pas trop. Au point où tu en es, on ne dévie pas.

Ils font ensemble quelques pas. Elle s'arrête.

MARCELLA : Dis-moi adieu! *(Elle l'embrasse. Ils s'étreignent. Puis, comme se réveillant d'un rêve :)* Il ne faut pas qu'on nous voie ensemble. Où vas-tu?

MASSIMO, *hésitant :* Nulle part... Comme d'habitude...

Il disparaît dans l'obscurité. Marcella fait quelques pas vers la droite, remontant légèrement vers le fond. La radio maintenant diffuse le discours du Dictateur. Jusqu'à la fin de la scène, on entendra cette voix, de plus en plus tonitruante, de plus en plus indistincte. Seuls, quelques mots émergent, continuellement répétés, noyés dans des salves d'acclamations.

LA VOIX DU DICTATEUR : Imposer au monde... L'avenir d'un grand peuple... Idéologies subversives... Un libéralisme périmé... La force... Idéologies périmées... Imposer au monde... Quand on aura fini de balayer à l'égout les derniers restes de l'idée de liberté... Un libéralisme subversif... Vertus guerrières... Nos glorieux ancêtres... Nos conquêtes... Idéologies démodées... L'avenir de l'Empire... Par la force... L'Empire de l'avenir...

MARCELLA, *marchant de plus en plus vite :* Faire taire cette voix... Faire taire cette voix... Va, cours... *(On entend le grésillement de la pluie qui tombe. Le bruit de l'orage se mêle à celui de la radio en une cacophonie croissante.)* L'orage... L'orage te protège... Assez! Assez! Assez! Tirer sur cette voix... Plus vite... Fais attention à ne pas glisser.

Elle sort en courant. Le bruit cacophonique continue. On entend un coup de feu, suivi d'une série de décharges. La radio toujours à peu près inintelligible ne s'interrompt pas.

LA VOIX DE LA RADIO : Vous venez d'entendre... Ici R.V.E. — Radio-Ville-Éternelle... Le discours du Dictateur... Palais Balbo... Programme de demain... La réception au Palais Balbo... La journée de demain...

Nuit noire.

ACTE III

SCÈNE I

L'entrée du Cinéma Mondo.

Le décor consiste en deux énormes affiches violemment éclairées, placées au premier plan, représentant Angiola Fidès. Entre elles, un peu en retrait, la guérite de la caissière invisible.

ALESSANDRO, *seul, debout contre l'affiche de gauche :* Je n'avais jamais compris auparavant ce que signifiait le mot attendre. Attendre quoi? Imbécile! Tu n'as fait que traverser les salles du Palais Balbo brillant d'uniformes et de toilettes de soir; tu es ressorti; tu t'es faufilé aux premiers rangs, dans la foule; tu as attendu. Avec ironie, avec angoisse, avec un enthousiasme inepte dont tu ne te soupçonnais pas capable... Qu'attendais-tu?... Tu ne Le hais pas; tu ne veux pas Sa mort; au fond, tu sais à quoi t'en tenir sur ceux qui se mêlent de régenter les affaires humaines; tu tâches tout au plus de n'être ni dupe ni victime. Et cependant, avoue-le : de lieu commun en lieu commun, de poing levé en poing levé, tu as tour à tour craint, espéré, désespéré que claquât ce coup de feu. Mais rien... Le mannequin impérial s'est retiré sain et sauf du balcon, pas même mouillé par l'averse... La foule s'est débandée sous l'orage... Avais-tu vraiment cru que de cette inertie, de ce marasme, de ces ovations réglées comme au théâtre surgirait ce soir quelque chose, quelqu'un... Et que ce quelqu'un serait elle... Et comme un païen défendant au Cirque une chrétienne livrée aux bêtes, tu t'apprêtais pour un de ces grands moments faits pour les films ou les livres. Car enfin, tu ne l'aimes pas à ce point-là... Tu ne veux pas cela; tu as assez de bon sens pour ne pas vouloir dans ce monde en désordre un désordre de plus. Alors quoi? Le sentiment que cette comédie ne peut pas durer, que la bâtisse en porte-à-faux croulera un jour ou l'autre, et qu'il serait quand même beau que ce fût elle, que ce fût cette femme... Te voilà réduit à ce personnage d'opéra, à cet amant, à ce conjuré romantique... Et tu stationnes sous cet auvent de cinéma comme un homme qui attend une bonne fortune, et elle n'y est pas non plus, à ce rendez-vous de la défaite que tu lui avais donné rue Fosca. Regarde plutôt...

Quelques personnes prennent un billet, passent l'une après l'autre entre les affiches. Angiola Fidès vient la dernière; elle porte un manteau sombre sur une mince robe rose.

ANGIOLA FIDÈS, *au guichet :* Une place de loge, s'il vous plaît.

Elle disparaît à son tour entre les affiches. L'ouvreuse la guide, sa petite lampe électrique à feu rouge braquée vers le sol.

L'OUVREUSE : Attention, Madame. Une marche.

ALESSANDRO, *détournant la tête :* Non. Personne... Des badauds, les mêmes qui tout à l'heure acclamaient l'homme au balcon... Attirés cette fois par une bande sonore... Ou voulant se protéger de la pluie, comme je suis censé le faire... Mais elle? Mais ce visage que j'ai tenu entre mes mains il n'y a qu'un moment, ce visage tendu vers autre chose que l'amour, et qui lui aussi mentait? Tu t'es figuré que ta femme, ta maîtresse, l'infirmière que tu promenais autrefois dans ta petite Fiat, le dimanche, aux environs de Bologne, était une héroïne, une Charlotte Corday? Mais s'ils l'avaient soupçonnée, arrêtée au moment où... Non, cela se saurait, ces nouvelles-là parcourent vite la foule... Et si elle était venue place Balbo, si le courage au dernier moment lui avait manqué, elle serait ici, elle m'aurait cherchée, elle serait de nouveau une femme qui se fait consoler. Mais non : elle t'a offert la grande scène classique, la vanité, l'hystérie, toutes les impostures. Berné. Et ce bruit que tu as entendu dans la chambre voisine... L'autre, le petit camarade qui écoutait peut-être, le comparse de son mélodrame... Tu t'es compromis... Non : trop compromis eux-mêmes pour te compromettre... Et que feras-tu maintenant sans voiture, et pas un taxi en vue? Rentrer chez toi par la pluie d'orage? Faire face à tes meubles, à tes tapis, au dernier numéro de la *Revue internationale de Chirurgie?* Mais non : tu attendras, cloué sur place. Tu veux attendre. Je t'accorde encore dix minutes de plus.

L'obscurité se fait, puis aussitôt la lumière se rallume. Le décor ne consiste plus qu'en une loge au centre de la scène. Angiola Fidès y est assise, vue de profil, la main posée sur le rebord de velours rouge, son manteau noir rejeté sur le dossier de sa chaise. Elle regarde à gauche du côté de l'écran et de la salle qu'on ne voit pas.

ANGIOLA, *à soi-même :* C'était futile, cette promenade en auto dans Rome, pour chercher quoi?... Mais puisque Sir Junius préfère ce soir ne pas sortir... Il est fatigué. Il a visité ce matin le musée du Vatican... Une idée d'étranger... Et puis, il se méfie des cérémonies politiques : on ne sait jamais comment finissent ces choses-là. Mais moi, j'avais faim des rues de Rome... Et pourtant, quand on a vu Paris ou New York... Et je ne tenais pas tellement à le lui laisser voir, au chauffeur de Sir Junius Stein, que je les sais par cœur, tous ces quartiers pauvres... Je ne me rappelais pas que la rue Fosca fût si courte. Et quand je suis entrée dans la cour du numéro onze (cette poubelle, à gauche, toujours à la même place, et c'est comme si on ne l'avait pas vidée depuis six ans) cette grosse femme dépeignée : « Qu'est-ce que vous venez faire ici?... Ce n'est pas une maison pour vous, ma petite dame... » ...Trop bien mise. J'aurais dû au moins laisser mes bagues à l'hôtel. *(Elle les touche avec affection.)* Mais même si j'avais monté l'escalier, si j'avais frappé, et puis? D'abord, ils n'habitent peut-être plus là... Mais supposons que le vieux ou Rosalia ait ouvert la porte? Tu ne vas pas les emmener au César-Palace, être photographiée avec eux par les journalistes... La star Angiola Fidès entre son vieux père et sa sœur... Touchant... Non, ils ne m'ont pas aidée à sortir de ce gâchis, au contraire. Je m'en suis tirée toute seule; je n'aide personne. Sir Junius n'est pas une institution de charité. *(Nuit complète. La scène n'est plus éclairée que par le faisceau lumineux de l'appareil de projection. Les paroles d'Angiola se perdent en partie dans un fond sonore.)* Mais ce que tu voulais, c'était surtout venir seule, ici, dans cette loge. Incognito. Tu sens dans l'ombre, sous toi, les gens qui arrivent pour te voir, qui s'installent... Sans compter ceux qui ont déjà assisté à la première séance, et qui pour te revoir sont restés. Et, parmi ces hommes, il y en a peut-être qui, jadis, les nuits d'été, dans la rue, quand tu avais pu échapper à la surveillance de ta Rosalia, te prenaient pour une petite coureuse, une aubaine de pauvres... Tu prends ta revanche sur la rue Fosca. Tu en as eu, des moments durs, jusqu'au jour où par hasard, à Tripoli, où tu crevais de faim avec ton acteur, un commanditaire de la R.A.F. a trouvé ta petite figure intéressante... Et encore maintenant, la vie n'est pas drôle... Mais il y a cette femme qui passe en ce moment sur tous les écrans du monde, cette femme qu'ils veulent, dont ils rêvent, qui les dégoûte de leurs femmes à eux. Tu vas la voir, tu as ici ton rendez-vous avec toi-même. Tu vas te voir, Angiola... *(Bruits et crépitements divers de la bande d'actualités.)* Non. Ce n'est pas encore toi. Des actualités très quelconques... Des troupes japonaises en Mongolie... Des soldats, des tanks... Comme dans les vieux films de guerre... Des Juifs battus en Allemagne... Tant pis pour eux... La mode parisienne de printemps...

LA VOIX DE L'OUVREUSE : Attention, Monsieur, une marche.

ALESSANDRO, *s'installant :* Pardon.

Il prend place à côté d'Angiola. La petite lueur rouge de l'ouvreuse s'éteint.

ALESSANDRO, *à soi-même :* Ressaisir mes idées... Rentrer en moi-même... Seul dans le noir, dans le vide... Pas besoin de regarder l'écran... Non, pas tout à fait seul : une femme. Enfin, elle ne te dérange pas, après tout. Quoi?... Cette voix qui hurle... Regarde... Le film de ta vie tourne à l'envers; des drapeaux bougent; un balcon... Vas-tu encore attendre à chaque phrase la ponctuation d'un coup de feu? Mais non : on ne tire pas les fantômes... C'est du vieux; c'est l'actualité de la semaine, c'est-à-dire de la semaine dernière : c'est passé. Un congrès de chirurgie : je suis là quelque part parmi ces messieurs tous pareils, ces points noir et blanc. Le général Gœring en visite à Rome...

ANGIOLA, *à soi-même :* ... en visite à Rome. Le Chef de l'État sur le quai de la gare... On a raison de vanter sa bonne grâce, au Chef de l'État; quand j'ai été présentée, quand il a félicité en moi une jeune gloire du film... Nous sommes gouvernés par un génie... Cet homme à côté de moi a l'air bien... Il sort d'une soirée... Un homme du monde. A la descente du train, le colonel von Papen...

ALESSANDRO, *à soi-même :* Assez! Assez de ce recrachage de faits divers, de ces bouts de films tournés par la firme Univers et Dieu... Regarde ailleurs... Cette lumière rouge : SORTIE DE SECOURS. Il n'y a pas de secours et pas de sortie. A quoi me fait-elle penser, cette lumière rouge?... La veilleuse qu'elle doit entretenir par habitude, ou parce que la piété rassure les voisines... A moins que Iakovleff n'ait le goût des icônes... Et ils sont assis ou couchés sous cette veilleuse, et ils tournent en dérision l'imbécile... Des dessins animés : des personnages saugrenus galopent comme mes idées au cours de ma grotesque attente. C'est singulier : je n'ai jamais si bien compris ces mécaniques grossières, ce trompe-l'œil sonore... Oui, mais ici du moins on sait qu'on est dupe : on n'espère rien. Un pitre bute contre le vide, comme moi tantôt contre une absente... Et maintenant, autre chose : le genre tragique, une énorme tête de femme tourne lentement, comme la terre, et les méplats, les creux insensibles, tout ce qu'on voit quand on rapproche un visage du sien... Rappelle-toi son visage à elle tout à l'heure... Belle sans fard, belle malgré les mains éraillées, la robe d'ouvrière... Une égale, une adversaire, de quoi vous dégoûter à jamais des jolies filles de la Signora Speranza. Laisse-la... N'y pense plus. La femme sur l'écran est belle aussi, truquée par les maquillages, par les projecteurs... Elle danse... Un segment d'épaule, un sein à demi nu passant sur le rectangle vide... Tu as toujours pensé que la chair était la seule réalité, le seul recours. Même cette chair d'ombre...

L'obscurité s'épaissit de plus en plus.

ANGIOLA, *à soi-même :* Cet homme me regarde. Je veux dire : il regarde Angiola Fidès... Algénib, puisque dans ce film, c'est mon nom... Dans un palais avec son père, ce vénérable cheik en burnous... Pas ton père à toi, pas du tout vénérable, le comte ruiné vivant aux crochets de parents riches... Et cette négresse au grand cœur qui s'agenouille pour te chausser et te protège quand un serpent... Pas ton ennuyeuse Rosalia en robe de drap gris... Algénib sous des palmiers au bord de la mer... Mais toi, tu l'as quittée toute jeune, ta plage où tu te risquais en chemise à l'aurore; tu as été élevée au couvent aux frais d'une parente qui voulait bien payer pour t'instruire, mais qui ne voulait pas que son fils... Et ton premier amant, Algénib, Lord Southsea... Il est beau, sur l'écran du moins, car en réalité Jim Taylor... Et tu danses, et Lord Southsea tue dans un bar un homme qui t'insultait... Tous les hommes t'aiment, même ceux qui t'insultent... Et l'agent d'une puissance étrangère te poursuit comme une belle proie... Mais toi, toi-même, tu n'as eu que Paolo Farina qui t'a épousée par bêtise, après que Tonio de Trapani t'a plaquée par lâcheté... Et puis, bien sûr, les autres, ta crapule d'acteur, et Sir Junius qui tâche de faire annuler ton mariage à Rome... Mais personne n'a erré avec toi dans les champs en fleur, personne dans une barque... Et ton agent secret te force à entrer de nuit, au cours d'un bal, dans les bureaux de la Résidence, pour voler des papiers d'État... Et tu cherches, penchée dans ta longue gaine de crêpe blanc, et tes cheveux coulent sur ta poitrine comme une frange de soie... Et tu palpites parce que tu as peur... Tu l'as reprise bien des fois, cette pose, avant de contenter le directeur... Et tu tressailles, tu sens sur ton épaule la main de Lord Southsea...

Nuit totale.

ALESSANDRO, *à soi-même :* Cette jeune femme à mon côté

qui regarde avidement cette scène inepte... Belle... Ce bras nu tout proche... Une réalité... Pose les doigts sur cette épaule, effleure comme par hasard, comme en rêve... Qu'elle ne soit pas sûre... Elle ne s'écarte pas, imperceptiblement se rapproche... Appuie davantage la main... Caresse-la, cette vivante parmi ces fantômes... Comme sur l'écran, ce geste d'acteur... Palper l'étoffe mince... Ah, oublier ce tumulte, ce délire dans un autre délire, un autre tumulte... S'il vous plaît, Madame, un petit moment d'oubli... Et elle le veut, et tu sais qu'elle le veut, qu'elle cède... Facile... Expérimentée... Délice de se passer totalement des mots, et même des baisers que là-bas, l'acteur... Ce baiser en gros plan qui n'est qu'un symbole du reste... Savante...

ANGIOLA, *à soi-même :* Pourquoi résisterais-tu... Cela te plaît... Dans ce noir, au fond de cette loge... Personne ne saura... Rien à craindre... Il te trouve belle... Il veut Algénib... Mais Algénib, c'est toi-même... Ne marchande pas... Sois douce...

ALESSANDRO, *à soi-même :* L'écran comme une glace reflétant un couple... Sous l'étoffe de soie, la douce, la dure chair... Examen délicieux d'un corps... Pas tellement différent de l'exploration du médecin... Et ce sursaut, ce spasme, cette docilité, cette confiance, pas si différents des mouvements d'une patiente... Repousse cette idée : elle te gâte ta joie... Concentre-toi sur cette tiédeur, sur cette main bougeant sur toi comme une plante marine... Combien en ce moment dans cette salle?... Fleur, source, jardin... Ah, la seule chose tout à fait propre, tout à fait sûre, la seule satisfaction, la seule...

ANGIOLA, *à soi-même :* Les amants s'enfuient poursuivis par la police anglaise... La barque chavire... La vague retombe... La mer s'apaise... Une dentelle d'écume... Les amants sombrent ensemble...

ALESSANDRO, *à soi-même :* ... Sombrent ensemble... Tout à l'heure, tu avais voulu mourir pour celle qui... Le film s'achève sur un extatique accord d'orgue... Et dans un instant, les lumières... N'importe : je dois tout de même à cette femme le seul bon moment de la journée.

Un temps. La lumière se fait. On aperçoit Alessandro et Angiola debout côte à côte, prêts à s'en aller.

ALESSANDRO, *courtoisement :* Madame...

ANGIOLA, *avec la plus grande politesse :* Monsieur...

ALESSANDRO, *l'aidant à remettre son manteau :* Permettez...

ANGIOLA, *à soi-même :* Je ne m'étais pas trompée : il est bien. Et c'est encore ce que j'ai eu de mieux depuis mon arrivée à Rome. Le revoir?... On ne sait jamais dans quoi l'on s'engage. Ne pas gâter un bon souvenir.

ALESSANDRO, *à soi-même :* Élégante... Sûrement étrangère... Comme tant d'autres, elle fait de son mieux pour imiter Angiola Fidès. Une fille? Non : une femme qui aime ça... Poursuivre l'aventure? On ne sait jamais dans quoi l'on s'engage. Ne pas gâter un bon souvenir. *(A Angiola, non sans quelque hésitation :)* Américaine?

ANGIOLA, *adoptant un accent anglais :* Non, Anglaise... Vous êtes Italien?

ALESSANDRO, *ému, cherchant ses mots, à voix basse :* Thank you, love. It was wonderful.

ANGIOLA, *occupée à se rougir les lèvres, gardant l'accent anglais adopté à la réplique précédente :* N'est-ce pas?... N'allez pas croire, mon cher, que je sois comme cela pour tout le monde.

ALESSANDRO, *agacé :* Je ne demande pas d'excuses.

Ils font encore quelques pas vers la sortie. La lumière s'éteint, puis immédiatement se rallume, les découvrant tous deux entre les grandes affiches. Quelques spectateurs sortent aussi.

ANGIOLA, *continuant la conversation avec une nuance de tristesse :* Ce film est stupide, Monsieur, ne trouvez-vous pas?

ALESSANDRO, *amèrement :* Vous avez raison. BÊTE COMME TOUT.

UN SPECTATEUR, *qui s'éloigne après avoir regardé Angiola avec convoitise, à mi-voix :* Elle est sympathique... Très sympathique...

ALESSANDRO, *sans conviction :* On se revoit?

ANGIOLA : Ce n'est pas possible.

MISS JONES, *sortant à son tour du cinéma :* J'ai eu tort de rester jusqu'à la fin du film. J'ai manqué mon train.

ALESSANDRO, *à Angiola :* Je vous cherche un taxi?

ANGIOLA : J'ai une voiture.

LA MÈRE DIDA, *marmonnant, offrant ses fleurs aux gens qui sortent :* Beaux œillets, belles roses... Bien fraîches, mes belles roses.

ALESSANDRO : Un instant.

Il s'approche de la mère Dida. Angiola enfile rêveusement un de ses gants.

LA MÈRE DIDA : Dix lires la botte, mes belles roses. Faites ça, Monsieur, pour la petite dame.

Alessandro achète les roses, les offre à Angiola, lui baise la main.

ALESSANDRO : Au revoir, Madame.

Elle sort lentement par la gauche. Alessandro fait quelques pas vers la droite.

ALESSANDRO, *à soi-même :* Tout est rentré dans l'ordre. Te voilà de nouveau dans un monde où les attentats politiques sont presque toujours pour la frime, où l'on va au cinéma, où les femmes ont des complaisances, où tu opères demain à huit heures et demie du matin. Rentrer chez soi...

Un homme en costume de milicien entre précipitamment par la droite, se heurte presque à Alessandro, le reconnaît.

LE MILICIEN : C'est toi?... Tu sais ce qui t'arrive?

ALESSANDRO, *immédiatement alerté :* Comment? Quoi? Je

ne sais rien... Comment veux-tu que je sache? Parle, Tommaso.

LE MILICIEN : Ta femme... Complètement folle... L'affaire Stevo, je suppose... Elle a attendu à la sortie du Palais Balbo, à la petite porte, celle qui donne sur la place de Saint-Jean-Martyr... Il a été admirable... Un calme... Ton nom de famille... Maria...

ALESSANDRO, *protestant :* Non, pas Maria...

LE MILICIEN : Est-ce que je sais, moi? Marcella Sarte... Mais non : elle n'a rien dit... Elle n'a pas cessé de tirer jusqu'à ce que... Ses papiers... Trouvés sur elle... Mon pauvre vieux, en voilà une histoire!

ALESSANDRO : Morte?... Morte?

LE MILICIEN : Mais oui, morte... Évidemment...

ALESSANDRO, *se maîtrisant :* Je vois... Une équipée imbécile... Où l'ont-ils mise?

LE MILICIEN : Tout près d'ici, au poste de San Gargano... Il vaut mieux que tu viennes... Rien à craindre, Alessandro, je me porte garant... Ta réputation...

ALESSANDRO : Une équipée imbécile... Elle a osé CELA... Elle a tenté CELA...

Ils sortent en courant. L'obscurité se fait.

PETITE SCÈNE ÉCLAIRÉE

On aperçoit dans ce qui est censé être le poste de police, le corps de Marcella étendu sur un banc, la tête renversée, pendante. Les franges du châle qui la recouvre à demi traînent à terre. Alessandro et le milicien s'expliquent avec un officier qui gesticule.

ALESSANDRO : Son nom?... Sarte, comme le mien... Née Ardeati... Son âge?... Vingt-neuf... Non, vingt-huit ans... Elle habitait rue Fosca... Je la reconnais... Je la reconnais...

SCÈNE II

La place Balbo.

On aperçoit la mère Dida assise entre ses paniers à l'angle d'un palais à portail baroque, mais qu'occupe à gauche le Café Impero dont on voit une vitre éclairée. On devine vaguement à droite l'entrée du Cinéma Mondo toute noire. La scène est éclairée à la fois par un réverbère et par la lumière qui vient du café.

LA MÈRE DIDA, *à soi-même :* Sacré bon Dieu!... Et les gens ont décampé sous l'orage, et me voilà toute seule, et comment j'aurais fait pour arriver jusqu'à l'autobus de Ponte-Porzio dans cette foule... Il est parti, le dernier autobus de Ponte-Porzio, et tu es ici trempée comme une soupe. Et le discours, il faut bien qu'il y en ait, des discours, mais ça ne fait pas marcher le commerce des fleurs. Pendant une grande heure, j'ai rien vu que des dos de gens qui écoutaient, et la police qui me dit de circuler... Et comment est-ce qu'ils veulent que je circule... Et ces roses, c'est du propre, toutes molles par ce temps d'orage... Bien sûr, à la sortie du cinéma, j'en ai quand même écoulé deux ou trois douzaines, des roses. Par exemple à cet amoureux avec une belle fille... Ils ont dû s'en donner, ceux-là... J'aurais dû lui demander vingt lires... Et maintenant, rien à faire... Plus souvent que j'irai passer la nuit chez Attilia avec sa marmaille et ce salaud de Marinunzi. Je me réveillerai, et bonsoir mes économies, ou bien encore pis. *(Elle palpe le petit sac qui lui pend au cou comme un scapulaire, dissimulé sous son corsage.)* Et dans la rue là-bas, le petit hôtel où vont les chauffeurs, c'est trop cher, et puis pas pour une femme honnête qui a une maison à Ponte-Porzio. Je pourrais bien demander à la dame du café de coucher dans son corridor, celui qui mène au cabinet où elle me laisse aller et où j'ai mes brocs d'eau. Mais faut pas abuser, autrement ça ne va plus... Rentre ta tête sous ton châle, comme une tortue, vieille Dida, renfonce-toi dans le coin de la marche. Et demain, Ilario viendra avec la camionnette pour les fleuristes, et j'aurai mes bottes de fleurs fraîches. Il ne fait pas froid, on est en avril, même si ce bon Dieu de malheur tonne et pleut sans s'occuper des gens ni des plantes... Figure-toi que tu es jeune, mère Dida, et que tu passes la nuit à danser. *(Elle s'enfonce peu à peu dans une rêverie.)* Tu as été jeune une fois, et Fruttuoso, le mari, il aimait la danse. Jusqu'à ce qu'il soit crevé de travail, bien sûr, et tué par le train parce qu'il dormait dans sa carriole... Il y a si longtemps que ce n'est plus triste. Pas à dire, tu as su les faire travailler, tes hommes. Et tous ces enfants... Il y en a dont on ne sait plus s'ils sont morts ou s'ils sont en Amérique... Et tu es toute seule, car les ignorants qui t'entourent, ça ne compte pas... Ou plutôt, tu serais toute seule sans ton Jésus autour du cou, ton bon argent, tes Saintes Espèces, ta preuve que tu as trimé toute ta vie... *(La lumière du café s'éteint. Bruit d'un rideau de fer qui descend.)* Qu'est-ce que c'est encore? Dieu qui gronde? Non, c'est pas Dieu, c'est le café qui ferme. Trop tard pour le cabinet. Elle a l'air tourneboulée, la patronne.

La dame du café verrouille bruyamment le rideau de fer, puis se tourne vers Dida. Elle est surexcitée, et contente de l'être.

LA DAME DU CAFÉ : Dida, hé, Dida!

DIDA : Je ne fais rien de mal, Madame Erminia. Je suis là parce que j'ai manqué l'autobus de onze heures dix, celui qui va à Ponte-Porzio. Et j'ai plus l'âge où l'on découche et si au moins j'étais au sec dans un corridor...

LA DAME DU CAFÉ, *criant à tue-tête :* Il s'agit bien de votre autobus! On a tiré sur Lui, Dida! Vous ne savez rien, vous êtes là assise comme une souche... Nous vivons dans des temps terribles! Un client m'a dit...

DIDA : Bien sûr que c'est pas du temps pour la saison, Madame Erminia.

LA DAME DU CAFÉ, *même jeu :* Mais quoi? Je vous dis qu'on Lui a tiré dessus, à la sortie, sur la petite place, de l'autre côté du Palais Balbo. Le client a vu la marque des balles sur les vitres de la voiture... Il s'en est fallu de peu... Une femme, pensez donc! Et jeune, à ce qu'on dit... Encore n coup de ces ignorants d'anarchistes, socialistes, communistes, est-ce qu'on sait, ces gens qui touchent l'argent de tranger... On a été trop bon, mère Dida... Et la femme?... en sûr qu'elle est morte. On a été bien forcé... Elle se battait, elle s'accrochait... Y en a qui disent que c'étaient grenades, pas des balles... Il paraît qu'il y a du sang terre à l'entrée de Saint-Jean-Martyr... Une mare de ... Bonsoir, Dida, je n'en dormirai pas de la nuit.

La dame du café s'en va.

DA, *à soi-même, réfléchissant :* Alors, c'est comme du s qu'on a tiré sur le Roi, l'année qu'Ilario est né. *se recroqueville entre ses paniers.)* Qu'il fait noir, tout ême... La patronne est partie; elle s'en soucie pas e ce que je deviens sans autobus; elle a autre chose , naturellement... Comme la place est grande quand personne... On a tiré sur Celui à qui le Roi a donné de commander. C'est pas un monde pour chrétiens, e les bêtes sauraient mieux... Et Il a sauvé le pays, , même si c'est toujours la même chose à Ponte- C'est vrai qu'Il est dur pour ceux qui sont contre : ur, on a mis en prison le fils Menotti; c'était triste... qui réclament, on leur fait boire de l'huile de ricin : ale. Et la vie renchérit, il n'y a pas à dire... Tout , c'est un crime... Une mare de sang... Il faut ait eu, du courage, pour faire une chose comme emme... On lui avait peut-être fait du tort. Au ère, au nom du Fils... Ça ne peut pas être un ire pour elle un bout de prière... Et peut-être, que tu ne crois, Dida, tu seras contente que quelqu'un fasse pour toi la même chose... *(Elle se signe, puis regarde autour d'elle furtivement, avec inquiétude :)* Si près d'ici, au fond de la place, par-devant Saint-Jean-Martyr... Non, il n'y a personne... C'est les policiers comme toujours qui marchent deux à deux... Oui, mais on a dû déjà couvrir le sang avec du sable... Tout de même, la Mort est passée par là; elle ne L'a pas pris, Lui, mais elle a pris cette femme; elle cherche peut-être encore quelqu'un d'autre... Quand c'est le moment, rien à faire... Et qu'est-ce qu'il avait ce matin, ce chien de curé, à me dire que je ressusciterais le poing fermé? *(Elle lève la main à la hauteur de sa figure, l'ouvre toute grande, écarte et fait jouer ses doigts.)* ... Et que je suis avare?... Qu'est-ce que c'est ça, être avare?... Je vais te dire, petit prêtre, c'est savoir qu'on est pauvre... Dans ce monde de mon cul, où personne ne vous vient en aide... Je ne lui ai rien donné, au bon Dieu?... Des bons Dieux, il y en a dans toutes les églises; ils naissent à Noël; ils meurent à Pâques; ils ne s'occupent pas des gens... Et la Tullia et la Maria, mes filles de malheur, pourquoi que je leur en donnerais, des sous? Elles ont tout juste assez leur tête à elles pour gratter la terre; on n'a pas besoin pour ça de jupons neufs... Et Ilario, c'est naturel qu'il travaille pour rien, puisqu'il héritera... Et si je ne veux pas qu'il prenne femme, c'est que les filles aujourd'hui c'est des pas-grand-chose... C'est ma faute, si Attilia s'est mariée avec un salaud qui boit et vomit ce qu'elle gagne?... Et qu'est-ce que j'y peux, si Luca, le père à Maria, que j'ai pris quand il m'a fallu un homme pour travailler parce que j'étais veuve, s'est mis à traîner sur les routes, un vieux tout cassé, un mendiant qu'on trouvera un beau matin crevé dans un champ, comme une mule? Il ne sert plus à rien : qu'est-ce qu'on dirait à Ponte-Porzio si je l'avais gardé chez nous aux frais de la famille?... Et un de ces jours, ce salaud de Marinunzi m'attendra à la sortie de l'autobus, là où la route est déserte, et à cause de mon beau petit sac, il me coupera le cou avec son couteau... Ou bien Ilario s'arrangera pour qu'il y ait comme qui dirait un accident... Ça tombe parfois dans un puits, une vieille... Ah oui, bien sûr, Dieu qui tonne... Le temps s'arrange, mais il y a encore des éclairs; justement, c'est du côté de

Ponte-Porzio... Peut-être qu'en ce moment un mauvais vieux, un vieux tout cassé, se glisse avec un briquet; il flanque le feu, et les gens pensent que c'est la foudre. Au Jugement dernier, Dieu brûlera toutes les mauvaises herbes. *(Elle sort brusquement de sa profonde rêverie, remarque Clément Roux qui apparaît au coin de la place, las, trempé, son chapeau rabattu sur les yeux, l'air d'un pauvre.)* Et qu'est-ce que c'est maintenant, ce vieux-là, tout seul à cette heure-ci? Non, c'est pas un de ces sales mendiants qui volent et qui mettent le feu. C'est honnête; c'est du bon pauvre... Au fond, par une nuit pareille, ça fait du bien de voir quelqu'un de vivant... Il est trempé; il a dû traîner toute la nuit. Peut-être qu'il est comme moi et qu'il ne sait pas où coucher... Tu n'as jamais rien donné, mère Dida, pas même à un chien un os à ronger. Si je lui passais la pièce, à celui-là, ça ne tirerait pas à conséquence; il n'est pas du quartier; il ne reviendra pas... Et puis, qui sait? Il a comme l'air d'un bon Dieu pauvre... Quand le jour viendra, on ne pourra plus dire que Dida a les poings fermés. *(Elle tire de sa poche une pièce de dix lires et la tend à Clément Roux.)* Tiens, vieux. Voilà pour toi.

CLÉMENT ROUX, *stupéfait, tournant et retournant la pièce :* Eh bien ça, alors... C'est la première fois que ça m'arrive...

Il sort à pas lents.

DIDA : C'est trop; ça lui donne un coup; j'aurais dû ne lui lâcher qu'une lire. Maintenant, il n'y a plus rien à dire; je lui ai cloué le bec, au petit Père Cicca. Et puis alors? Le temps se remet, c'est certain; le concierge du Palais Conti me laissera bien dormir dans sa cour. Et si je les mets dans l'eau, ces fleurs, je les refilerai bien demain à quelqu'un. Faut pas voir la vie trop en noir, mère Dida.

Elle sort.

SCÈNE III

Les rues de Rome.

Le plateau ne contient que trois indications de décor qui s'éclaireront successivement. Au lever du rideau, à gauche, vers le fond, une balustrade qui est censée surplomber les ruines du Forum, et un banc de pierre près d'un fragment de colonne antique; vers le centre, un mur barbouillé d'inscriptions fascistes à la base duquel Clément Roux s'adossera quelques instants; à l'extrême droite, près de la rampe, la margelle très basse d'une fontaine, et peut-être une statue baroque, Neptune, Triton, ou cheval marin. Entre ces trois points ainsi désignés se déroulera dans d'imaginaires rues de Rome la lente et sinueuse promenade de Clément Roux et de Massimo, coupée de haltes, et suivie par les feux d'un projecteur.

On découvre Clément Roux à gauche, appuyé à la balustrade. Lumière de clair de lune.

CLÉMENT ROUX : Ce n'est plus si beau... La ruine trop propre. Trop démolie, trop reconstruite... De mon temps, ces petites rues zigzaguant qui vous amenaient aux monuments par surprise... Ils ont remplacé tout cela par de belles artères pour autobus, et, le cas échéant, pour chars blindés... Le Paris d'Haussmann... Le champ de foire des ruines, l'Exposition Permanente de la Romanité... *Laudator temporis acti?* Non, c'est laid. Et puis, de toute façon, trop fatigant... Décidément, cette douleur... *(Il s'appuie plus lourdement à la balustrade.)* L'étau qui se resserre... Que va-t-il m'arriver cette fois-ci? Du calme, tâcher de juguler la crise une fois de plus. Le médicament du docteur Sarte est dans la poche de gauche.

Il farfouille dans sa poche, en tire un tube de verre, le brise, inhale avidement. Massimo l'observe à gauche, à l'orée de l'ombre.

MASSIMO, *doucement :* Besoin de rien?

CLÉMENT ROUX, *hargneux :* Marchand de cartes postales?

MASSIMO : N'ayez pas peur... Je ne vends rien ce soir. C'est le cœur qui ne va pas?

Il soutient Clément Roux, l'assied presque de force sur le banc. Long silence.

CLÉMENT ROUX, *se remettant, dans un souffle :* Je suis foutu.

MASSIMO, *doucement, adossé à la balustrade, allumant une cigarette :* Non, Monsieur Roux, pas encore. Vous allez mieux, au contraire.

CLÉMENT ROUX, *troublé, à soi-même :* Hein?... J'ai dû mal entendre. D'où sort-il? Livide, l'air d'avoir fait un mauvais coup... Et ses mains qui tremblent... N'importe : c'est rassurant qu'il soit là... *(Avançant la main vers les cigarettes de Massimo :)* Donne.

MASSIMO : Non. Ça va vous faire mal.

CLÉMENT ROUX, *humblement :* C'est vrai... Mais je vais mieux... Salement mieux même, car enfin, les faux départs... Las de crever, las de ne pas crever, las de tout... Tu ne comprends pas, toi... Quel âge as-tu?

MASSIMO : Vingt-deux ans.

CLÉMENT ROUX : C'est bien ce que je pensais... Moi, j'en ai septante.

MASSIMO, *à soi-même :* Vingt-deux ans... Et il y a un siècle qu'elle est morte, et il y a dix siècles que Carlo... Morts... Évanouis... Cette femme que j'entendais respirer sur l'oreiller, cette main dans ma main... Et lui, avec son souffle entrecoupé, son complet que nous avons porté ensemble à réparer chez un tailleur de Vienne, sa passion pour la musique allemande... Une somme escamotée du total. INCONCEVABLE... Ce vieux qui se remet d'une crise de cœur ne sait pas qu'il est pour moi une terre ferme. Un vivant...

CLÉMENT ROUX : Et voilà près de trente ans que je n'ai pas revu Rome. Changée en laid, comme toute la terre. Oh, je suppose qu'un type jeune, comme toi, trouve à ça une beauté tout autre, que tu regretteras aussi dans trente ans... Plus du tout pour moi... J'ai horreur du bruit; je déteste la foule... Mais tout de même, ce soir, je n'ai pas pu y tenir, dans leurs salons du César-Palace... Et à pied, tout seul, je suis allé...

MASSIMO, *d'une voix étouffée :* Comme tout le monde... Entendre un discours place Balbo...

CLÉMENT ROUX : Tu t'imagines! Voir des gens qui braillent acclamer un homme qui hurle! Tu ne me connais pas, mon petit... Non, mais les rues noires. Désertes... Justement parce que la foule s'est déversée ailleurs comme un seau qu'on vide. Et la pluie furieuse sur les façades... Et moi, sous un arceau du Colisée, fumant, bien tranquille... Puis un peu perdu dans les rues changées... Mais le plus drôle est que tout ne file pas à la même vitesse... Retrouver des coins, des balcons, des portes, des choses qu'on ne se rappelait pas, et que pourtant on se rappelle, puisque quand même on les reconnaît... Et l'on pose le pied sur les dalles un peu plus doucement qu'autrefois, tu comprends, et on sent mieux leur inégalité, leur usure... Je t'embête?

MASSIMO : Vous ne m'ennuyez pas du tout, Monsieur Roux. Je pense à une petite toile de jeunesse à vous qui représente un coin de Rome, un paysage de ruines très humaines... Même après tout ce que vous avez fait depuis, c'est encore très beau. Ou déjà très beau.

CLÉMENT ROUX, *soupçonneux :* Tu sais qui je suis?

MASSIMO : C'est bien simple; j'ai vu l'autre jour votre portrait par vous-même à la Triennale d'Art moderne. *(A soi-même :)* Et je m'habitue... Et je suis déjà assez accoutumé à leur mort pour parler peinture. Je le flatte, d'ailleurs. Je ne l'ai vraiment identifié que grâce aux photographies des journaux. Le pauvre grand homme... Un peu d'admiration lui fera du bien...

CLÉMENT ROUX, *de son même ton marmonnant, rêveur :* Eh bien, tu connais un pauvre bougre... Clément Roux, sans blague... Tu es Français?... Non, Russe, je reconnais l'accent. Moi, je suis d'Hazebrouck... Parce qu'il faut bien être de quelque part. Le portrait n'est pas mal; tu as du goût... Des portraits, ils n'en font plus, parce que, des êtres humains, ils s'en foutent. Et puis, parce que c'est trop difficile. Prendre un visage, le démolir, le reconstruire, faire la somme d'une série d'instantanés... Pas ton visage : tu es trop beau. Ce n'est plus la peine. Mais une gueule comme la mienne... Ton paysage de ruines très humaines, quoi? Tu as de la chance d'avoir vingt-deux ans.

MASSIMO, *à soi-même, détourné à demi :* Ma chance... Elle est propre, ma chance. Être celui qui ne meurt pas, celui qui regarde, celui qui n'entre pas tout à fait dans le jeu... Celui qui essaie de sauver, ou qui, au contraire... L'Ange des dernières heures... Et ce regard de Marcella, je ne l'oublierai pas... Est-ce ma faute, s'ils m'aiment? Cette heure volée au temps, sur le bord de tout... Et tout ce que j'ai trouvé à faire est de me griser de mots... Pour la soutenir, pour la retenir?... Soit. Et surtout pour cacher que ces réalités n'étaient pas pour moi. La vraie trahison n'était pas d'avoir cédé au chantage de cet agent du régime, à Vienne, lors de cette affaire de passeports... Encore moins cette visite forcée de l'automne dernier à un personnage d'opérette devant son bureau à casiers du Palais Vedoni... Non, l'illicite me plaît... Ne te défends pas : ne tourne pas la chose en plaisanterie lugubre... Mon nom est quelque part sur leurs listes. Contaminé pour toujours, comme par la syphilis ou la lèpre... Vivre encore quarante ans avec les manifestations secondaires d'une infamie pardonnée... Demain, je serai convoqué à nouveau par le personnage d'opérette; on me posera des questions auxquelles je répondrai une fois de plus le contraire de la vérité. Pas si bêtes... Bêtes à demi... Ils me jugeront incompétent ou complice. Et, en ma qualité d'étranger, ils me prieront de quitter leur belle Italie et de faire estampiller ailleurs mon passeport Nansen. Encore mon ignoble chance... Tout va se réduire à un séjour chez ma mère qui est antiquaire à Vienne.

Clément Roux, qui avait un moment somnolé, la tête sur le dossier du banc, s'est réveillé, et observe attentivement Massimo durant les dernières lignes de sa tirade.

CLÉMENT ROUX : Qu'est-ce qui t'arrive? On dirait que tu pleures?

MASSIMO, *sauvagement :* Non, je ne pleure pas. Je n'ai pas même le droit de pleurer. *(Un temps.)* Une femme a été tuée ce soir. Après le discours. Pas un accident. Un attentat manqué.

CLÉMENT ROUX : Où?

MASSIMO : Pas loin d'ici. Sur la petite place de Saint-Jean-Martyr.

CLÉMENT ROUX, *respectueusement :* La pauvre diablesse!

MASSIMO, *à soi-même :* J'ai eu tort de lui dire cela. Trop vieux, et puis trop mal portant pour avoir à s'occuper des malheurs des autres.

CLÉMENT ROUX, *à soi-même, se levant, une nuance d'angoisse dans la voix :* Ce mieux ne durera pas. Autant en profiter pour rentrer. S'en aller d'ici... Et demain quitter Rome.

MASSIMO : Un taxi?

CLÉMENT ROUX : Pas tout de suite. Je voudrais d'abord... D'ailleurs, il n'y en a pas. *(A soi-même :)* Et chers à cette heure tardive. Si ce garçon un peu louche, mais serviable, consent à m'accompagner... J'ai encore sur moi une ampoule. Après tout, ce n'est peut-être que la fausse angine.

MASSIMO : Êtes-vous sûr de pouvoir marcher?

CLÉMENT ROUX : Quelques pas. C'est plutôt bon pour moi. Je ne suis pas tellement loin... Si nous prenions par la place des Saints-Apôtres?...

MASSIMO, à *soi-même :* Il est fier de connaître encore si bien Rome.

Ils font quelques pas.

CLÉMENT ROUX, *s'arrêtant :* Cette femme? Tu étais là?

MASSIMO, *violemment :* Non! Non!

CLÉMENT ROUX : Et Lui? Il est indemne?

MASSIMO, *amer :* Indemne. On prétend qu'il s'en est fallu d'une ligne.

CLÉMENT ROUX : Quelle sacrée chance! Oh, bien sûr, un jour ou l'autre, il n'y coupera pas... Les risques du métier. Dans ma jeunesse, il y avait un refrain de Bruant à propos de je ne sais plus quel type de la pègre : IL A CREVÉ COMME UN CÉSAR... C'est ça : crever comme un César. Ce que j'en dis n'est pas pour le diminuer, au contraire... Il faut bien qu'il y ait quelqu'un qui se mêle de gouverner, puisque la plupart des gens sont trop mous pour ça. Et puis, tu sais, moi, la politique... D'ailleurs, je ne suis pas d'ici... Pourvu seulement qu'il ne nous amène pas la guerre.

MASSIMO, *avec conviction :* Justement. Je ne suis pas d'ici, moi non plus.

CLÉMENT ROUX, *se remettant en marche :* Je vais t'expliquer à quoi ça me fait penser, moi, ta politique. J'ai un ami chef d'orchestre à la Scala qui m'a dit que quand on a besoin de bruits de foule, une insurrection, des gens qui gueulent pour ou contre, quoi, on fait chanter en coulisse par des voix de basse un seul beau mot bien sonore. RUBARBARA. En canon : BARBARARU... BARARUBA... RARUBARBA... Tu vois l'effet. Eh bien, la politique, à droite ou à gauche, c'est de la rhubarbe pour moi, mon petit.

MASSIMO, *avec hésitation :* Monsieur Clément Roux, vous avez fait la guerre de 14. Comment s'habituait-on à avoir des camarades avec qui l'on vivait, sachant que dans une heure peut-être, immanquablement... Cette femme par exemple... Enfin, elle faisait partie du même groupe...

L'amie d'un ami. *(A soi-même :)* D'un ami?... Le reste a si peu compté pour moi... Et pour lui? Un passant interlope dont faute de mieux on se fait un disciple... Un moyen de rejoindre qui sait quel moment de sa jeunesse... Une entorse à son puritanisme d'homme de gauche... Et si c'est un peu plus, c'est dans un monde où les mots ne vont pas. *(A Clément Roux :)* Un ami... Mais je m'étais introduit auprès d'eux en fraude. *(A soi-même :)* Cela non plus n'est pas tout à fait vrai. Dès ce séjour à Kitzbuhel, je l'avais averti; je lui avais même conseillé de ne jamais rentrer en Italie. Je ne pouvais faire plus... Mais dès ce moment-là, pour lui, les jeux étaient faits. *(A Clément Roux :)* Un ami mort. Et cette femme, je l'ai suivie tout à l'heure de loin, prudemment... C'est sur le seuil d'un café, à une distance respectueuse, comme on dit, que j'ai appris comme par hasard... Oh, je n'étais pas forcé d'y croire, moi, à l'efficacité du tyrannicide!... C'est égal, elle a dû me mépriser au moment de mourir.

Il se détourne comme pour cacher des larmes.

CLÉMENT ROUX, *alarmé, à soi-même :* Qu'est-ce qu'il invente? *(A Massimo :)* Eh bien, mon garçon, je n'y comprends plus rien, à ton histoire. D'abord, pour commencer, d'où sors-tu? Monsieur conspire? Non? Tant mieux... Tu as une famille? Guère, n'est-ce pas? Un domicile?

MASSIMO : Jusqu'à demain matin.

CLÉMENT ROUX : Je m'en doutais. Et comme profession?

MASSIMO, *amer :* Marchand de faux passeports.

CLÉMENT ROUX : Ah?... Alors, mon petit, rien à faire en ce qui me concerne... Même si je n'en avais pas un dans ma poche. Plus envie d'aller nulle part... A moins que tu n'en aies un en bonne et due forme avec lequel on soit bien tranquille chez Dieu.

MASSIMO, *gravement :* Il ne faut pas dire cela, Monsieur Roux.

Clément Roux fait halte, s'adosse un moment à un mur dont la partie supérieure est barbouillée des devises politiques de l'époque, tracées en grandes lettres inégales, pour avoir l'air d'être l'œuvre spontanée des passants : VV IL... VIVERE PERICOLOSAMENTE... AVANTI... PER NON DORMIRE... VV L'IMPERO... PERICOL...

CLÉMENT ROUX, *rêvant, à soi-même :* Cette rue, je n'y repasserai sans doute jamais plus... Et cette Rome... Regarder un peu autour de soi... D'autant plus que, tout de même, c'est beau... Surtout par cette nuit propre, lavée par l'orage, cette nuit pas tout à fait de ce monde... Les courbes insensibles des façades qui modèlent l'espace... Et puis, cela fait meilleur effet que d'avoir l'air de s'arrêter parce que la fatigue... Je vais bien d'ailleurs... Étonnamment bien... Malgré tout, on marche comme freiné... Si quelque chose arrivait, ce petit pourrait toujours chercher du secours... A moins que... Les nouvelles ultimissimes de demain : Clément Roux tombé dans la rue victime d'une crise cardiaque, dévalisé par... Non : pas méchant, malheureux, peut-être un peu mythomane. Si un taxi passe, je ferai tout de même mieux de faire signe.

MASSIMO, *avec lassitude, à soi-même :* S'il passe un taxi, il serait plus prudent que je l'y fasse monter. Le dernier était plein.

CLÉMENT ROUX, *se remettant en marche :* Tu parles de la guerre de 14 : à cette époque-là, je n'étais déjà plus tout à fait d'âge... C'est mon frère qui s'est fait tuer à Craonne. Mais on a tant menti là-dessus que même ceux qui en sont revenus, ils ne savent plus. Et pas seulement la guerre, la vie... Ainsi, quand des journalistes italiens me demandent mes souvenirs... Ma mère, qui avait envie que je sois prêtre. Tu la vois, la dame de la ferme, et son chapeau de peluche qu'elle ne mettait que pour la grand-messe... Et puis Paris, et le travail, et les emmerdements habituels de l'artiste qui ne se débrouille pas. Et puis, la gloire... Sans raison, parce que le vent a tourné. Je ne m'étais jamais rendu compte qu'il y avait tant de gens par le monde qui spéculent sur des toiles... La Bourse, les Pieds Humides, quoi... Et ceux qui se servaient de moi pour taper sur les illustres de l'avant-veille, pour dire que Renoir n'était rien et Manet de la petite bière... Et puis, le moment où on est si connu qu'on n'intéresse plus personne : Clément Roux, classé. Et dans dix ans, on les foutra au grenier, ces tableaux, parce que ce ne sera plus la mode; et dans cinquante ans, on les rependra dans les musées, y compris les faux, et dans deux cents ans, on dira que de Clément Roux, il n'y en avait pas, que c'était quelqu'un d'autre, ou plusieurs... Ma gloire... Où est-ce que j'en étais?... Mes souvenirs. Ma femme, une excellente femme, la meilleure des femmes. Bonne ménagère, pas même jalouse. Et jolie pour commencer; le corps le plus blanc qu'on puisse imaginer : comme du lait. Bien entendu, tu la connais : je l'ai peinte. Deux ans d'amour, un enfant avec sa collerette blanche dans les tableaux de 1905, et qui maintenant vend des automobiles, un autre qui est mort... Et la belle qui vieillit, qui maigrit, qui devient difficile (toujours la personne très bien, tu comprends) et avec laquelle on n'a pas plus envie de faire l'amour qu'avec la dame patronnesse... Oui, je l'ai peinte sous cet aspect-là aussi, en robe grise... Et puis morte... Quel changement! Et on s'habitue... Ou on s'habitue à ne pas s'habituer. Et ta compatriote Sabine Bagration qui se met en tête de m'aimer, et m'installe dans sa villa, dans le Midi, et puis me menace de son revolver... Une femme mince, intéressante, pas belle. Une femme qui aimait le malheur, comme toi. Et elle en a eu : dans son pays, elle s'est fait jeter dans un puits de mine... Et ensuite quoi? Au fond, je n'ai pas beaucoup vécu. C'est astreignant, la peinture. Se lever de bonne heure... Se coucher tôt... J'ai pas de souvenirs.

MASSIMO, *à soi-même :* Et voilà ce qu'il a rapporté de la vie, ce vieux gâteux couvert de gloire... Évidemment, il y a quand même ses chefs-d'œuvre... Et toi, où en seras-tu, à son âge? Et même dans dix ans? Employé d'hôtel? Correspondant d'un journal du soir?... Ce Narcisse vieilli qui ne peut pas s'empêcher de regarder dans la vitre des vitrines si par hasard s'approche le visage d'une aventure?... Ou encore le fanatique qui distribue des tracts sur l'arrivée du Seigneur?... Ne t'inquiète pas... Attends. Accepte même cette barrière des sens : tu l'as aimée plus que tu n'aimeras peut-être aucune femme, mais tu ne pouvais supporter l'odeur huilée et poivrée de ses cheveux... Accepte de n'avoir pas tout à fait cru en ce qu'ils croyaient... Accepte qu'ils soient morts : tu mourras un jour. Attends... Pars de ce que tu es... En ce moment, tu ramènes à son hôtel ce pauvre grand homme en costume de rapin des années 1900... Par fidélité à sa jeunesse? Si conventionnel... Ces Français...

CLÉMENT ROUX, *s'arrêtant, un peu perdu :* Où sommes-nous?

MASSIMO : Rue de l'Humilité, Monsieur Clément Roux, rue de l'Humilité. *(Un temps. Ils continuent à marcher.)* A propos, Monsieur Roux, je voulais vous dire... Cet ami mort... Ce Carlo Stevo...

CLÉMENT ROUX, *distraitement :* Oui, je sais qui est Carlo Stevo.

MASSIMO, *d'une voix tremblante, se livrant d'autant plus qu'il n'espère plus être écouté :* Je sais que cela ne peut guère vous intéresser, mais, tout de même, c'est un peu comme pour vos souvenirs... Personne qui comprenne... Et si vite l'oubli. Oh, ils parlent de Carlo Stevo; ils en parleront encore plus, demain, quand ils auront appris sa mort. Mais sans savoir... Un grand écrivain, un homme de génie fourvoyé dans la politique, diront ceux qui ne l'insultent pas... Tout ce bruit autour d'une misérable lettre extorquée, mais personne, pas même moi, qui ose regarder en face les sévices, la misère corporelle, l'épuisement, le doute peut-être au moment de mourir. Non, personne... Et ils ne comprennent pas non plus qu'un mourant accepte d'avoir l'air de lâcher prise, de renoncer à ce à quoi il croyait croire, veuille mourir seul, même sans ses convictions, tout seul... Carlo Stevo et son courage d'aller en tout jusqu'au bout de ses forces, par-delà ses forces... De succomber ignominieusement, d'être ridicule... De mal parler l'allemand, par exemple... Sa capacité de comprendre, son incapacité de mépriser... Ce sens merveilleux de Beethoven; ces soirs où nous avons fait tourner dans la chambre de la Spiegelgasse tous les disques des derniers quatuors... Sa gaieté d'homme triste... Et ses livres dont on parle, mais que personne ne lit plus. Il n'y a plus finalement que moi qui sois son témoin. S'il avait vécu, j'aurais peut-être appris quelque chose... *(Il entonne à mi-voix la prière des morts en slavon d'Église :)* TZARSTVO TEBE NEBESNOË...

CLÉMENT ROUX, *continuant sa rêverie :* Tout ça, tout ça...

Ils s'arrêtent tous deux près de la margelle d'une fontaine.

CLÉMENT ROUX, *émerveillé :* La fontaine aux Tritons... Nom de Dieu! c'est beau... Aide-moi à descendre la marche... Ça glisse. J'aimerais m'asseoir un peu sur le bord.

Il s'assied.

MASSIMO, *debout, à soi-même :* L'eau qui lave, l'eau qu'on boit, l'eau qui perd et prend toutes les formes. L'eau dont un fiévreux a peut-être manqué aux îles Lipari...

CLÉMENT ROUX, *bavardant, un peu sénile :* Tu comprends, je ne voudrais pas que tu croies... Il y a tout de même des choses bien... Cette fontaine, par exemple, je tenais un peu à la revoir avant mon départ, mais dans cette sacrée ville, on ne sait jamais ce qu'on va retrouver... Des choses si belles qu'on s'étonne qu'elles soient encore là. Des bouts, des fragments... Paris tout gris, Rome dorée... La colonne, là-bas, où nous étions, tu l'as vue, comme l'aiguille d'un cadran lunaire?... Et il est bien, le Colisée, hein, le pâté cuit et recuit, la grosse croûte pleine au-dedans de gladiateurs... Et puis partout, n'importe quoi, une cafetière ou une cathédrale... Et des visages merveilleux, comme le tien... Et puis, des corps... *(Un temps.)* Des corps de femmes... Pas tellement les modèles avec leur nu à tant par heure... Ni le nu fade des putains, ni le nu au théâtre, si fardé qu'on ne voit pas la peau... Et presque nulle part un pied parfait, net et pur. Mais de temps en temps... La chair sous le vêtement, comme un doux secret dans ce monde dur. Le corps sous l'étoffe... L'âme sous le corps... L'âme du corps... Ainsi, il y a longtemps, sur une plage, en Sicile, une petite fille nue... Douze ou treize ans... Dans le jour frisant du petit matin... Innocente et pas innocente... Tu vois cela, la petite Vénus sortant des ondes... Et les jambes un peu plus pâles que le reste, parce qu'on les voyait sous l'eau... Oh, il ne faut pas que tu t'imagines : trop jeune, et puis trop belle... Quoique j'aurais pu, après tout... Et je ne l'ai pas peinte non plus, parce que les nus faits de souvenir... Mais je l'ai mise çà et là, un peu partout, une certaine façon de montrer la lumière bougeant sur un corps. Ce sont des choses qui vous aident à l'heure de mourir. *(Il remonte le col de sa pèlerine.)* Je crois... Je crois que je m'enrhume.

MASSIMO : Il faut rentrer, Monsieur Clément Roux. Il est plus d'une heure du matin.

CLÉMENT ROUX, *divaguant à demi :* Oui, je comprends... Messieurs, on ferme. Ne t'impatiente pas... Je dois d'abord retoucher le portrait de la baronne Bernheim. Je rentre en France... Le docteur Sarte dit que ce pays-ci ne me vaut rien en cette saison. Les premières chaleurs... J'espère que le valet aura cordé ma malle... Le train de dix heures quinze... *(Il serre convulsivement les doigts de Massimo. Confidentiel :)* C'est dur de s'en aller quand on commence à savoir, quand on a appris... Et on continue à peindre, on ajoute des formes à ce monde plein de formes... Malgré la fatigue... Et j'ai été solide, moi, sais-tu, l'ouvrier de la ferme... Et même aujourd'hui, les jours où je vais bien, je me sens éternel. Seulement, quand ça flanche, il y a maintenant en moi quelqu'un qui dit oui. Dire oui à la mort... *(Il sort de sa poche une pièce de monnaie, la retourne dans le creux de sa main.)* Pendant l'averse, comme je t'ai dit, je m'étais mis à l'abri sous une arche. Trempé quand même... Une vieille bonne femme a dû me prendre pour un mendiant... Elle m'a donné ça. Hein, c'est drôle?... Oh, pas d'erreur : elle n'était pas saoule. C'était peut-être une restitution.

MASSIMO, *à soi-même :* C'est lui qui est saoul. Saoul de fatigue... Cette grotesque, cette lamentable veillée funèbre.

CLÉMENT ROUX : Et ceux qui s'en vont, s'ils jettent ici une pièce de monnaie dans l'eau, on dit qu'ils reviennent... Mais moi, pour ce que j'y ferais, dans la Ville, ça ne me tente pas d'y revenir. Plutôt voir autre chose, du vrai neuf, avec des yeux frais, des yeux lavés, des yeux purs... Mais quelle autre chose? Qui l'a vue, la Ville Éternelle?... La vie, petit, ça ne commence peut-être qu'au lendemain de la Résurrection.

MASSIMO, *exaspéré :* Enfin, Monsieur Roux, vous venez?

CLÉMENT ROUX, *solennellement :* Oui.

Il jette la pièce de monnaie dans la vasque, maladroitement.

MASSIMO, *ironique :* Vous auriez mieux fait de me la donner.

CLÉMENT ROUX : Tu veux mon argent?

MASSIMO, *fermement :* Je veux vous ramener. Je ne peux pourtant pas vous laisser en plan au bord de l'eau.

Clément Roux se lève péniblement, s'agrippe au bras de Massimo, chancelle. Massimo l'aide à se rasseoir sur la margelle.

CLÉMENT ROUX, *terrifié :* Je ne vais pas bien... Attends une minute.

MASSIMO, *inquiet :* Je vais vous chercher un taxi. La place Colonna est à deux pas...

CLÉMENT ROUX, *terrifié :* Ne me laisse pas seul! *(Massimo s'éloigne rapidement. A soi-même :)* Il m'a laissé seul... Crever dans ce décor d'opéra... Personne... Si je criais, cet ouvrier qui répare là-bas ne m'entendrait pas... Le bruit de l'eau...

Coup de frein d'un taxi qui s'arrête. On voit dans l'ombre la lueur des phares. Massimo reparaît, suivi d'un chauffeur.

MASSIMO : Je vous ai trouvé un taxi, Monsieur Roux.

Il l'aide à se lever, le dirige vers la voiture.

LE CHAUFFEUR, *s'approchant pour aider :* Quelle adresse?

MASSIMO, *à Clément Roux :* Au César-Palace, n'est-ce pas?

(Clément Roux fait signe que oui. Au chauffeur :) Au César-Palace.

Clément Roux disparaît soutenu par le chauffeur. Massimo recule, la main levée dans un geste d'adieu, éclairé en plein par les phares.

LA VOIX DE CLÉMENT ROUX, *dans la coulisse, sourdement :* Tout de même, j'aurais dû lui demander son nom.

Le taxi est censé démarrer. La lumière des phares tourne et s'éclipse. Obscurité complète.

SCÈNE IV

Nuit sur Rome.

Le plateau est plongé dans l'obscurité. Au cours de cette scène, on verra s'illuminer brièvement, dans des réduits au fond ou sur des praticables, les personnages de petites scènes éclairées qu'entoureront un minimum d'accessoires ou d'indications de décor. Sur le plateau proprement dit, rien d'autre que la margelle de la fontaine déjà en place à la scène précédente, et qui redeviendra visible à la fin de l'acte.

LA VOIX DU POÈTE, *froide, lointaine :* Il fait nuit sur les plaines, sur les collines, nuit sur la Ville et nuit sur la mer. Dans les musées de Rome, la nuit emplit les salles où sont les chefs-d'œuvre : LA FURIE ENDORMIE, L'HERMAPHRODITE, LA VÉNUS, LE GLADIATEUR, blocs de marbre soumis aux grandes lois qui régissent l'équilibre, le poids, la densité, la dilatation et la contraction des pierres, ignorants du fait que des artisans morts depuis des millénaires ont façonné leur surface à l'image de créatures d'un autre règne. Les ruines des monuments antiques font corps avec la nuit, fragments privilégiés du passé, à l'abri derrière leur grille, avec la chaise vide du contrôleur à côté du tourniquet d'entrée. A la Triennale d'Art moderne, les tableaux ne sont plus que des rectangles de toile montés sur châssis, inégalement encroûtés d'une couche de couleurs qui en ce moment sont du noir. Dans sa tanière garnie de barreaux, la Louve sur les pentes du Capitole hurle à la nuit, protégée des hommes, mais ayant à subir leur proximité, elle tressaille à la vibration des rares camions qui longent la colline. C'est l'heure où dans les étables attenantes aux abattoirs, les bêtes qui demain iront finir dans les assiettes et dans les égouts de Rome mâchent une bouchée de paille, appuient sur le cou de leur compagnon de chaine leur mufle ensommeillé et doux. C'est l'heure où dans les hôpitaux les malades souffrant d'insomnie attendent avec impatience la prochaine tournée de l'infirmière; c'est le moment où les filles au salon se disent qu'on ira bientôt dormir. Dans les imprimeries des journaux, les rotatives tournent, produisent pour les lecteurs du matin une version arrangée des incidents de la veille; des nouvelles vraies ou fausses crépitent dans les récepteurs; des rails luisants dessinent dans la nuit la figure des départs. *(Des bruits nocturnes, passage constant de camions, çà et là quelques sifflets de train, accompagnent sourdement la voix du récitant :)* De haut en bas des maisons noires, les dormeurs s'étagent comme des morts dans des catacombes; les époux dorment, portant dans leur corps moite et chaud les vivants de l'avenir : les révoltés, les résignés, les violents et les habiles, les saints, les sots, les martyrs. Le chant des fontaines s'élève plus pur et plus aigu dans la nuit silencieuse. Une nuit végétale, pleine de sèves et de souffles, plie et frissonne dans les pins de la Villa Borghèse. Clément Roux dort au milieu d'une nature morte de valises béantes, de souliers jetés au hasard, de gilets accrochés à des bras de fauteuil. Il va mieux; il dort avidement, comme on mange; son vieux corps à l'abandon n'est plus qu'une masse de chair grise et de poils gris. Dans la pièce voisine, la nuit enveloppe mollement le sommeil d'Angiola Fidès. Dans la salle de bains, les roses d'Alessandro gisent dans la cuvette au bord d'une flaque d'eau. Dida somnole comme une poule entre ses deux paniers dans la cour du Palais Conti. César dort, oubliant qu'il est César. Il se réveille, rentre à l'intérieur de sa personne et de sa gloire, allume un instant sa lampe, regarde l'heure à son poignet...

Au fond, à droite, la lumière éclaire sur un praticable une chaise lourdement dorée, sur laquelle ont été soigneusement placés la chemise noire du Dictateur, son ceinturon, son couvre-chef noir.

Devant la chaise, ses bottes. Un grand lit également doré n'est qu'entrevu dans l'ombre.

LA VOIX DU DICTATEUR : Empêcher que la presse étrangère s'empare de cet incident pour exagérer... L'attentat servira à faire promulguer des mesures plus strictes. Ardeati, née Ardeati... La fille du vieux Giacomo.. La cuisine enfumée de Cesena où la mère Ardeati servait le café pendant que son homme et moi discutions des mérites respectifs de Marx et d'Engels... Ce café qui me semblait alors une boisson de luxe... Pas une mauvaise femme, la mère Ardeati... Ce qu'il y avait de mieux chez ces gens-là, je l'ai amalgamé à mon programme. C'est à coups de pied que se forme une grande nation. Ces bavards n'auraient jamais su gouverner un peuple. *(La lumière s'éteint. On entend à sa voix qu'il se rendort.)* Ardeati, née Ardeati... J'ai montré le sang-froid qui convient à un homme d'État. La visite récente du général Gœring et du colonel von Papen... J'ai l'approbation des gens d'ordre.

LA VOIX DU POÈTE : Giulio Lovisi ne dort pas. Il fait ses comptes.

On voit au fond, dans une sorte d'encoignure, Giulio Lovisi dans son fauteuil, crayon et registre en main. Giovanna en peignoir est debout près de lui. Derrière eux, une porte.

GIULIO LOVISI : *Chanel Numéro Deux*, trois douzaines. *Soir de Paris*, cinq douzaines et demie. *Crêpe de Chine... (A Giovanna :)* Tu ferais mieux d'aller te coucher.

GIOVANNA : Je ne peux pas dormir, Papa. Combien crois-tu qu'il faudra, maintenant que tout s'arrange... Notre ancien appartement aux Parioli est toujours vide. Je pourrais dire au gérant que dès la fin mai... Nous irons d'abord nous reposer sur une vraie plage.

GIULIO LOVISI : Doucement, ma fille. Ça prend beaucoup de temps, ces formalités... Et puis, tes projets... Tu sais que ton mari est un homme malade.

GIOVANNA : Justement. On lui permettra peut-être d'aller

consulter en Suisse. *(Réfléchissant :)* Il faudra que je fasse retoucher mon ensemble d'été.

GIUSEPPA, *furieuse, passant la tête par l'entrebâillement de la porte :* Taisez-vous! Vous réveillez l'enfant!

La lumière s'éteint. Ils disparaissent.

LA VOIX DU POÈTE : Alessandro ne dort pas non plus. Il est retenu à la permanence du Parti.

On découvre au fond Alessandro et un personnage haut placé, assis face à face, séparés l'un de l'autre par un bureau de type ministériel. Sur le bureau, plateau avec carafe et verres. Alessandro semble épuisé, mais très maître de soi. Le personnage haut placé est courtois, mais ferme. Il porte l'habit orné d'abondantes décorations qu'il avait sans doute à la réception au Palais Balbo.

LE PERSONNAGE HAUT PLACÉ : Votre réputation est hors de cause, docteur Sarte; vous êtes des nôtres. Un verre d'eau?... Mais vous êtes arrivé chez votre femme vers sept heures; vous êtes reparti vers huit heures dix. Il est difficile d'admettre...

ALESSANDRO, *avec une irritation contenue :* Je vois, Excellence, qu'il va falloir que je recommence une fois de plus à tout expliquer. En 1928, ma femme...

La lumière s'éteint. Ils disparaissent.

LA VOIX DU POÈTE : Le Père Cicca descend l'escalier de son immeuble, se dirige vers l'église pour la messe de l'aube.

Une pâle lueur grise envahit le plateau que traverse le Père Cicca. Faibles bruits de cloches.

LE PÈRE CICCA : Seigneur, mes yeux sont ouverts sur Toi dès le matin... Ce jour est un jour que le Seigneur a fait... Le matin Tu écouteras ma prière...

Il disparaît. La faible lumière grise persiste.

LA VOIX DU POÈTE : Les morts dorment, mais personne ne sait leurs rêves. Lina Chiari dort avec son cancer. Elle pense à Massimo, qui ne pense pas à elle.

LA VOIX DE LINA CHIARI, *faiblement :* Il a quand même promis de téléphoner demain matin... Dors tranquillement, ma fille... Faites que je dorme, ô mon Dieu, faites que je m'endorme.

On aperçoit à gauche, sur un praticable, ce qui est censé être la chambre de Massimo. Le décor consiste en un lit, une petite table sur laquelle est posée une valise ouverte, une tablette avec des livres. Un complet soigneusement disposé sur un cintre pend à une patère. Massimo à demi vêtu dort jeté en travers du lit. Une ampoule électrique brûle au plafond.

MASSIMO, *se réveillant en sursaut, encore en plein rêve :* Des tas de neige... Et quoi sous cette neige?... Un fourgon dans une sapinière... Tu rêves : réveille-toi... *(Il s'assied sur le bord du lit. Au bout d'un instant, brusquement, il se recouvre le visage du coude, comme si quelqu'un allait le frapper.)* C'est déjà hier qu'ils sont morts. *(Il se lève, éteint la lumière. La faible lueur grise envahit la chambre. Amèrement :)* L'aurore d'un beau jour. *(Un temps. Il s'immobilise, cloué sur place.)* Morts?... Fixés, immuables, indestructibles. Et tu changeras; tu les oublieras, ou tu croiras les oublier, ou bien t'en souvenir, mais ce que tu as été par rapport à eux ne changera plus. Fixé à jamais. Et maintenant?... L'express de Vienne part à huit heures dix. Finis ta valise... *(Il décroche le complet de sa patère.)* Ce complet presque neuf... C'est heureux que je me le sois fait faire par Duetti avant de quitter Rome... *(S'interrompant, révolté :)* Ah! Ta futilité presque obscène... Emballe d'abord tes livres. *(Il s'approche de la tablette et considère les volumes.)* Tu ne pourras jamais emporter tout cela. Kierkegaard... Je l'ai lu : cela suffit. Berdiaeff, Chestov, je les rachèterai un jour. Apollinaire... *(Il ouvre le volume et lit :)*

Un soir de demi-brume à Londres,
Un voyou qui ressemblait à
Mon amour vint à ma rencontre...

Assez. *(Il replace le volume, en prend un autre.)* Rilke : « Mon Dieu, donne à chacun sa propre mort... » Les vers qu'on aime, on s'en souvient sans avoir besoin du livre. Carlo Stevo... *(Il effleure du doigt deux ou trois volumes, en prend un, lit un moment à voix basse.)* Il faut pourtant que j'emporte d'ici quelque chose. *(Il glisse le volume dans sa valise, referme le couvercle, s'assied, les coudes sur la table.)* Celui-là voyagera avec moi... J'ai sommeil... *(Sa tête s'incline insensiblement. Rêvant déjà :)* Corps nus sous la neige... Monceaux sous la neige... *(A demi conscient :)* Je puis bien dormir encore un peu... Ce ne sont encore que les petites heures du matin.

Il s'endort la tête dans les mains. Il disparaît. On aperçoit sur le plateau, à droite, près de la margelle, Marinunzi qui s'approche, une bouteille dans chaque main. La lumière de l'aurore envahit la scène.

MARINUNZI : Faut croire qu'il y a moins d'étrangers à Rome, ou qu'ils n'ont plus le sou... On dit que, dans le temps, ils jetaient de l'or dans la fontaine... Tout de même, avec ce que j'ai repêché en me mouillant un peu... Et je connais un bon endroit près de la gare qui ne ferme que pour les imbéciles : on ne peut pas consommer, parce que c'est pas ouvert; on peut trouver de quoi boire, parce que c'est pas fermé... J'ai bien le droit de m'asseoir ici parmi les outils de mon travail... *(Il s'assied à terre. Mélancolique :)* Bois, mon Oreste, ça vaudra mieux que de rentrer chez toi. Et qu'est-ce que j'y ferais, chez moi, si je rentrais? Quand je suis sorti réparer ma fuite, Attilia avait les cheveux défaits, parce que ça facilite; et la voisine de droite chauffait de l'eau; et la vieille, celle d'en face, chauffait du bouillon, et Attilia pleurait, bien qu'elle ait l'habitude d'accoucher : on ne s'entendait plus... C'est même plus décent de les laisser se débrouiller entre elles... A la santé du cinquième! *(Il se lève, et boit tour à tour aux deux fiasques. Confidentiel :)* Au fond, Attilia et moi on s'en passerait, du cinquième, mais quand les enfants viennent, comment faire?... C'est la faute à ce sournois d'Ilario : si la Dida laissait parler son cœur de mère, le cinquième rapporterait au lieu de nous coûter : on retirerait l'armoire du Mont-de-Piété... Tu peux bien boire à la santé de la Dida, mon pauvre Oreste : si elle crève, elle ne laissera pas même à Attilia de quoi prendre le deuil... Ils ne m'apprécient pas, ces gens-là... Parce que j'ai dit un jour que ce serait bon d'étrangler la vieille, ce sournois d'Ilario me traite d'assassin, moi qui suis trop doux pour saigner un veau... Et c'est vrai pourtant que ce serait bon, un soir, à la descente de l'autobus, sur la route de ce trou de Ponte-Porzio où personne ne l'entendrait piailler... Et le petit sac qu'elle a au cou, ni vu ni connu... C'est le bien d'Attilia, après tout, c'est juste... Mais c'est chanceux, ces coups-là; y a rien de plus traître que les gens qu'on tue... *(Il se rassied sur la margelle entre ses deux fiasques. Consolant :)* Prends encore une goutte, mon Marinunzi : faut pourtant pas te laisser abattre. La voyante a vu un garçon dans la boule de verre; c'est plus commode à élever qu'une fille; ça sert son pays; ça devient peut-être un jour une vedette de journaux sportifs... Des enfants, il en faut pour faire un grand peuple... Les voyantes, mon ami, c'est des superstitions de femme, mais ça aide dans ces moments-ci... Un grand peuple... Du temps que j'étais célibataire, je payais comme un autre ma cotisation chez les socialistes; ces quatre sous, j'aurais aussi bien pu les boire... Maintenant, je suis pour l'ordre, un père de famille... Et de l'ordre, on en a, un vrai grand homme qui parle haut, qui en remontre aux étrangers, grâce à qui on comptera dans la prochaine guerre... Il faut des guerres parce qu'on est trop nombreux, et il faut être nombreux pour faire la guerre... Voilà... Où est ma bouteille? *(Il se lève, et, sans s'en apercevoir, renverse une des fiasques. Pris d'enthousiasme :)* Pas à dire : quand on a bu, il faut boire; faut que ça roule, que ça vous emporte, qu'on soit tout perdu, comme avec une femme, et en même temps plus fort que d'habitude, plus malin, plus courageux, plus... On est vainqueurs, ou tout comme... On a un empire, comme tout le monde... On hérite de Ponte-Porzio... Elle a crevé, la Dida... Ilario ne compte plus... Tullia et Maria, on sera bon, on les mettra dans la cahute au fond du jardin, ce sera drôle... Et ce n'est pas les femmes qui manquent, si par hasard, Attilia... Comme il est plaisant, mon petit vin, quand je le bois sous ma tonnelle, près de ma fontaine qui gargouille... Et toutes les conduites d'eau de Rome peuvent fuir, Oreste Marinunzi ne se dérange plus... *(Il trébuche, puis se redresse, et finalement s'étale par terre.)* Ça glisse?... Sale bouteille... Non, ça tourne... La terre tourne... C'est drôle... Je me couche à Ponte-Porzio sur la terre qui tourne... Ma place au soleil... La bouteille est vide, pauvre bouteille... Je peux bien occuper ma place au soleil... Et quand je m'éveillerai... Et quand je m'éveillerai...

Il ronfle. Grand jour.

ÉTAT CIVIL

DIDA PANICALE, née 2 mai 1857, Velletri, † Ponte-Porzio, 19 août 1938.

CLÉMENT ROUX, né 15 août 1860, Hazebrouck (Nord), † Nice, 12 janvier 1934.

GIULIO LOVISI, né 2 septembre 1878, Viterbe, † Rome, 11 juillet 1950.

PAOLO FARINA, né 5 février 1888, Pietrasanta, † Pietrasanta, 17 octobre 1961.

CARLO STEVO, né 19 mai 1890, Trieste, † îles Lipari, 18 avril 1933.

ALESSANDRO SARTE, né 9 novembre 1894, Bologne, † Fosse Ardeatine, 24 mars 1944.

ROSALIA DI CREDO, née 27 novembre 1895, Gemara (Sicile), † Rome, 20 avril 1933.

LE PÈRE CICCA, né 2 septembre 1899, Subiaco, † Fosse Ardeatine, 24 mars 1944.

GIOVANNA STEVO, née 1er décembre 1900, Rome, † Rome vers 1975.

LINA CHIARI, née 29 mai 1901, Florence, † Rome, 30 mars 1935.

MARCELLA SARTE, née 7 juin 1904, Cesena, † Rome, 20 avril 1933.

ORESTE MARINUNZI, né 15 juillet 1904, Rome, † Stalingrad, 30 octobre 1943.

ANGIOLA FIDÈS, née 13 décembre 1904, Gemara (Sicile), † Miami, vers 1980.

MAXIME IAKOVLEFF, né 2 juin 1911, Saint-Pétersbourg, † Auschwitz, 1er mai 1945.

La Petite Sirène

DIVERTISSEMENT DRAMATIQUE
D'APRÈS LE CONTE
DE HANS-CHRISTIAN ANDERSEN

1942

A PROPOS D'UN DIVERTISSEMENT ET EN HOMMAGE A UN MAGICIEN

La Petite Sirène, libre transcription d'un conte d'Andersen qui fit les délices de mon enfance, date de 1942. C'est une pièce de circonstance, écrite pour s'insérer dans ce qui était un ambitieux spectacle consacré aux quatre éléments que monta, pour son plaisir, un ami américain dont il sera parlé plus loin. L'Eau m'échut en partage, et je pensai aussitôt à tirer un petit drame lyrique de l'exquise histoire du conteur danois. Cette courte pièce fut jouée deux ou trois fois durant cette même année sur la scène du Wadsworth Athenaeum de Hartford, dans le Connecticut, bien entendu en traduction anglaise. Le texte original demeura dans les limbes d'un tiroir ou d'une valise, dont je le sors aujourd'hui.

J'ai dit ailleurs ce que le musée de Hartford représenta pour moi entre 1940 et 1945 : fenêtre ouverte sur l'Europe quittée, lieu d'asile à la porte duquel mouraient les fracas de l'époque, et ceux d'un pays auquel je ne m'acclimatais qu'à peine. Le Hartford de 1942, livré à l'euphorie des industries de guerre, ne gardait presque rien de la ville de province que connut Dickens, guère plus de celle qu'habita Mark Twain. Il était surpeuplé : aux groupes italiens et polonais, piétaille de l'industrie depuis le XIXe siècle, et aux Noirs peu nombreux en Nouvelle-Angleterre, s'ajoutaient par vagues des travailleurs venus de régions maritimes ou rurales relativement voisines, attirés par l'existence dite excitante de la grande ville et les hauts salaires de guerre. Les banlieues ouvrières proliféraient, changeant ce qui avait été les champs de tabac du Connecticut en paysages préfabriqués; dans les garnis du centre, les lits restaient chauds, occupés par équipes successives. Les rats aussi profitaient de cette pléthore. Dans les beaux quartiers, les maisons bien à l'aise dans leurs jardins sans clôture gardaient inchangé leur train de vie domestique, gêné quelque peu par la rareté croissante des gens de maison passés ouvriers d'usine, mais la présence de réfugiés autrichiens ou allemands en quête de moyens de subsistance facilitait les choses, et fournissait aux gens « bien » des factotums et des cuisinières.

Hartford restait la forteresse des sociétés d'assurance, des beaux tissus que n'évinçaient pas encore les fibres synthétiques, des armes à feu (le colt est un produit local) et des machines-outils. Quelques bonnes familles donnaient le ton : on y était réactionnaire, chauvin et protestant avec une nuance de bienséance sociale et mondaine. Une opulente vieille demoiselle me demandait d'un air soupçonneux « si les Français étaient toujours catholiques »; une dame fort respectée était pour l'éducation libérale des filles, mais seulement jusqu'à un certain point, un peu d'instruction, mais pas trop, formant les bonnes actuaires penchées toute leur vie sur les statistiques. Une autre, également active dans toutes les sociétés de bienfaisance et les institutions culturelles locales, s'étonnait qu'on pût regarder des estampes japonaises, le Japonais étant l'ennemi. A côté des usines s'alimentant des commandes de guerre, une vieille et forte maison continuait à s'adonner à une forme d'arme offensive et défensive plus archaïque, indépendante des grands événements du jour : les puissants coutelas que des petits vapeurs remontant l'Amazone laisseraient chez des dépositaires isolés, par ballots juste assez légers pour être ensuite portés à dos d'homme jusqu'aux postes perdus où s'approvisionnent les Indiens de la forêt équatoriale. La marque, un bras replié au biceps gonflé, en était si connue que les indigènes se contentaient, dit-on, de faire le geste sans avoir à désigner l'objet par son nom.

C'est pourtant sur ces grandes fortunes industrielles ou bancaires, bénéfiques en cela, que s'était peu à peu édifié le musée de Hartford. Il y avait fallu le temps. Un petit nombre de citoyens dévoués à la cause des arts avaient fondé le Wadsworth Athenaeum dès 1844, date fort précoce pour une telle entreprise dans un milieu relativement très provincial, si l'on songe que les États-Unis de nos jours possèdent encore (il est vrai dans leur « Bible Belt ») des petites villes où l'établissement d'un musée est combattu par les gens du lieu, qui craignent l'amollissement moral inséparable des beaux-arts [1]. Les premières acquisitions n'eurent rien qui pût troubler la conscience publique : elles consistaient surtout en cinq grandes toiles, d'ailleurs fort nobles, de Trumbull, représentant des scènes de la Révolution américaine. Un peu plus tard, en 1855, une souscription permit d'acheter un tableau du peintre américain John Vanderlyn, qui avait acquis la grande manière classique dans les ateliers parisiens vers 1800. On y voit deux farouches Indiens aux muscles michélangelesques s'apprêtant à scalper leur victime, Jane Mc Crea, fiancée d'un officier blanc, revêtue des pudiques draperies d'une Iphigénie. De beaux portraits suivirent, et un modeste lot de petits maîtres hollandais, qui ont plu de bonne heure aux acheteurs américains, peut-être parce que leurs agréables images de la vie bourgeoise sont exemptes des implications mythologiques, religieuses ou monarchiques inséparables d'autres œuvres d'art européennes. En 1917, le don, par Pierpont Morgan, d'une admirable série de bronzes et d'argenterie antiques assura au musée une annexe prestigieuse. Mais les beaux-arts continuaient à tenir peu de place dans ce milieu industriel et marchand, pas plus et pas moins qu'à Roubaix ou qu'à Lyon vers la même époque.

Tout changea vers 1928 avec l'arrivée d'un animateur extraordinaire, Everett Austin Junior (Chick pour ses amis), et aussi, il faut bien le dire, avec une somptueuse donation destinée tout entière à l'achat d'œuvres picturales hors pair.

1. Il y a une quinzaine d'années tout au plus, un industriel français de mes amis, établi en Virginie Occidentale, eut grand-peine à établir, en partie à ses frais, un musée dans la ville où étaient situées ses usines. Bien qu'un accord tacite écartât des murs les peintures de nu, la population rechignait, et ne se rassura que quand on installa au rez-de-chaussée une substantielle collection d'anciennes armes à feu.

De ces chefs-d'œuvre, Everett Austin allait être pendant quinze ans l'intelligent acheteur.

Grand amateur d'art baroque, il fut l'un des premiers à faire apprécier des connaisseurs et du public ce style auquel l'Américain moyen, encore imbu d'un inconscient puritanisme, est instinctivement rétif; ami de presque tout ce qui comptait dans l'art de son temps, il imposa à Hartford ceux qui étaient entre 1928 et 1945 les modernes; fou du ballet classique, il échoua dans le projet d'établir dans cette ville peu dansante une école internationale de ballet dirigée par Balanchine, mais réussit à assurer au Wadsworth Athenaeum la collection Serge Lifar, héritée de Diaghileff, qui regorge de dessins et de maquettes de Bakst et de Picasso, de Benois, de Miró ou de Juan Gris. Everett avait l'avantage d'appartenir aux bonnes familles, et sa femme sortait du patriciat local. Ces privilèges de caste, dans un pays où les castes, partout niées, sont aussi présentes et aussi complexes que dans l'Inde, lui servirent à parer pour un temps les attaques philistines ou puritaines, à persuader, ou du moins à réduire momentanément au silence, les membres du conseil d'administration dont l'un au moins était de la famille et que suffoquait l'accession si rapide de tant de Greco et de Valdès Léal, de Caravage et d'Archimbaldo, de Monsu Desiderio et de Magnasco, de Poussin et de Pierre Puget, de Max Ernst et de Tchélitcheff.

Mais ce n'est pas seulement à titre d'acheteur d'œuvres d'art que cet homme au sang léger donnait prise. Acteur-né, mais aussi metteur en scène, régisseur, costumier, peintre de décors et manœuvre, il communiquait son souffle à des troupes d'amateurs et de demi-professionnels qui d'ordinaire en manquaient. Il interpréta avec esprit les gais fantoches de Noel Coward et le Russe blanc de *Tovaritch* avant de s'attaquer, comme on le verra plus loin, à Shakespeare et à Ford. Il monta le *Socrate* d'Erik Satie dans des décors de mobiles de Calder, et fut le premier à présenter *Quatre Saints en trois actes* de Gertrude Stein, hardiesse qui fit date, comme firent date des fêtes qui étaient encore du théâtre, entre autres un certain « bal des chiffonniers » dans la cour intérieure du Wadsworth Athenaeum nouvellement ornée par ses soins d'une monumentale fontaine baroque, et plaquée ce soir-là de transparents formant trois rangs de loges garnies d'élégants spectateurs. Dix ans plus tard, ces jeux et ces ris étaient encore évoqués sur place avec nostalgie et scandale. Comme les costumes et les accessoires du bal, ce décor était entièrement fabriqué de vieux papier ramassé par des équipes de camarades chez les particuliers de Hartford, puis plié, collé, découpé et peint à la gouache pour la circonstance. Des sacs d'épiciers et des papiers glacés de confiseurs, des journaux périmés et les papiers d'emballage roses des bonnes teintureries devinrent ainsi des colonnes, des rideaux, des lustres ou des silhouettes. Lors d'une autre fête, les bustes de plâtre d'honorables célébrités du Hartford du XIXe siècle, conservés dans un grenier du musée, furent descendus, mutilés avec art à soigneux coups de marteau, et peints par Chick dans des tons d'albâtre, de jaspe ou de porphyre qui les transformèrent en une magnifique collection d'antiques. Enfin, prestidigitateur rompu aux trucs du métier, « le Grand Osram » donna des séances au cours desquelles il tirait de ses manches des mètres de ruban et lardait de coups d'épée sa secrétaire couchée dans un coffre, qui se relevait toute souriante sous les yeux d'enfants émerveillés et de parents plus sceptiques, choqués qu'un directeur de musée fût si peu sérieux.

Ce fils de bourgeois, plus fait pour vivre dans le Chantilly des Condés ou le Haga de Gustave III que dans la capitale du Connecticut, avait le don princier de se faire des détracteurs et des amis. Qui se rend aujourd'hui à Hartford y trouve un centre des arts à son nom et un musée tout plein de son souvenir. Ces honneurs si mérités sont posthumes. Après chacune de ses tentatives théâtrales, le préposé à la critique du journal local ne manquait pas de produire sa chronique acidulée, assaisonnée de traits d'esprit qui, paraît-il, enchantaient les abonnés; comme des épines sous la peau, ils infectaient les victimes plus sensibles au dédain ou à l'ironie que des professionnels l'eussent été. Ce critique est d'ailleurs celui qui, dans un volume d'hommages, a fourni plus tard l'élogieux résumé de la carrière théâtrale d'Austin. D'autre part, les très raffinés et les très simples entraient d'emblée dans son monde de féerie : ses audaces de goût enchantaient les Sitwell; les jours de dèche où l'argent manquait pour un voyage à New York, les employées du musée se cotisaient pour faire l'appoint. Au cours d'un petit voyage, il m'arriva de passer devant une propriété de sa famille, alors inoccupée : le concierge était dans tous ses états; quelques jours plus tôt, des cambrioleurs s'étaient introduits dans la maison, jetant en vrac sur le sol tout ce qu'ils n'emportèrent pas. « Ils ont cassé les jouets d'Everett », me dit tristement l'excellent homme. « Pensez donc, les joujoux d'Everett! » Mais tous les beaux objets du monde étaient désormais les joujoux d'Everett.

De tous les *Hamlet* que j'ai vus, le sien, jusque dans ses faiblesses (mais je suis de ceux pour lesquels le théâtre d'amateurs a un bouquet bien à lui, jamais égalé tout à fait par les grands crus des professionnels), reste à la fois le plus exquis et le plus humain. Le drame mimé du troisième acte, présenté par les acteurs ambulants hébergés au château d'Elseneur, met dans *Hamlet* une pièce dans une pièce, un crime joué au milieu des horreurs camouflées du crime accompli. Cet épisode-miroir, grâce auquel Hamlet espère rendre visible le vrai visage de Claudius et de Gertrude, tombe presque toujours entre les mains de directeurs sans génie au rang d'un hors-d'œuvre; il devenait pour Chick cette confrontation de la réalité par l'art qu'il est en effet. Les personnes royales et leur cour dans les traditionnels costumes Renaissance regardaient évoluer des mimes vêtus en rois, reines et valets de tarots du temps de Charles VI, et ce décalage suffisait à introduire dans la pièce une nouvelle dimension du temps, comme certaines perspectives baroques introduisent dans une fresque une nouvelle dimension de l'espace. Ces minces fantômes glissant sur leurs chaussures à la poulaine, précédés et comme appelés sur scène par une musique inspirée d'obsédantes mélodies élisabéthaines, semblaient mimer l'adultère et le meurtre idéals, tels que Claudius et sa reine les avaient sans doute rêvés avant de les avoir accomplis. Au dernier acte, après le combat aux armes empoisonnées, Austin s'en allait sur une civière portée par quatre gardes; nous reconnaissions en eux les étudiants d'un collège de Hartford pour lequel il constituait à soi seul le département des beaux-arts, ou des camarades du cours de danse. Mais l'illusion de la vie finie, de la défaite qui est aussi une victoire n'en était que plus complète : un homme aussi réel pour nous qu'Hamlet dut l'être pour ses familiers et ses proches disparaissait dans une atmosphère de confusion, de malentendu, mais aussi de regret poignant, pleuré çà et là par quelques Horatios et remplacé par un raisonnable Fortinbras. Everett Austin finit en 1958 dans une chambre ripolinée d'hôpital, mais ses amis se souviennent de sa mort dans la grande salle d'Elseneur.

Les prestiges du magicien s'usèrent à Hartford. La présentation en 1943 du drame jacobite de John Ford, *'Tis Pity She's a Whore*, fit le jeu des malveillants et des sots. J'avais ma part dans cette aventure, ayant suggéré à Everett Austin cette superbe pièce rarement mise en scène : je lui en avais prêté le texte, ce grand amateur de formes, de couleurs et de sons n'étant pas, sauf dans ses spécialités, l'homme des livres. Cette histoire d'un couple incestueux tenant bon contre toutes les fureurs et toutes les perfidies, ces jeunes amants maudits et quasi angéliques déplurent, comme il fallait s'y attendre. Le soir de la première, dans un salon transformé en dortoir pour des amis venus de New York soutenir la pièce, une discussion fit rage sur le symbolisme et les mérites de l'inceste; un homme d'affaires nous ramena tous à la réalité sans phrase en nous donnant les statistiques de ce comportement à Bridgeport, autre centre industriel du Connecticut. Mais ce qui, dans *'Tis Pity*, choqua Hartford plus que les fougueux duos d'amour que peu de gens, sans doute, étaient capables de suivre dans leur somptueux langage post-élisabéthain, ce fut la présence en scène d'un cardinal, personnage assez secondaire dans cette sombre intrigue, mais que rendaient impressionnant ses satins cramoisis et ses dentelles empruntés par Chick à un prélat du Greco. Les milieux italiens et irlandais s'émurent. Vers la même époque, des factions ennemies au sein du conseil d'administration redressèrent la tête. On conseilla à Chick de prendre un congé d'un an. En 1945, on annonça sa démission.

Il repartit à neuf dans un endroit entre tous singulier, le Ringling Museum de Sarasota. Le fondateur du cirque Ringling s'était fait naguère construire dans cette ville, quartier d'hiver de ses troupes, un imposant palais italien quelque peu enflé par la luxuriance de la Floride. Aimant le colossal, il y avait mis d'énormes toiles du XVIIe siècle que d'autres musées hésitaient à acquérir faute de murs, entre autres les splendides et encombrants Rubens de Blenheim. Everett Austin classa, rénova, rependit les pièces de cette collection restée en suspens depuis la mort de son fondateur : le premier tableau acquis après le décès de Ringling entra au musée sous son règne : un portrait de l'archiduc Ferdinand par Rubens. Pour raviver les jours de visite officielle ces salles rutilantes et vides, il lui suffisait de jeter un pan de soie rouge sur une table et d'y mettre des fruits et des fleurs; les soieries et les natures mortes dans la grande manière s'y raccordaient aussitôt, et semblaient pouvoir être non seulement vues, mais caressées, humées, goûtées pour une couple d'heures. Ce sens charnel de l'œuvre d'art sauvait Chick de l'angle agressivement doctrinaire, didactique et moralisant sans le savoir, de tout temps prédominant en matière d'art aux États-Unis, qu'il s'agisse hier matin des amateurs d'abstrait ou de pop, ou avant-hier de ceux de Millet aux sujets supposés bien-pensants, et que la pièce qu'on aille voir soit *Hair* ou *Our Town*. Il lui évita aussi toute vaine gloire et tout compromis : on n'est pas vedette, quand l'art est un jeu auquel on joue ensemble; on ne ravale pas au niveau des sots l'œuvre à montrer ou à monter, comme le font sans gêne tant de fournisseurs de culture, quand on veut en faire jouir dans sa perfection le plus de gens possible.

Le dernier plaisir de ce connaisseur jugé frivole fut la fondation d'un musée du Cirque : les accessoires et les costumes de la piste l'enchantaient comme un reste des fastes et des pompes baroques. Son dernier triomphe fut la reconstruction à Sarasota du théâtre d'Asolo démantelé pendant l'ère fasciste et ramené par lui d'Italie panneau par panneau. Il y fit donner du Mozart et du Pergolèse. Pas plus que Hartford, Sarasota n'est une Athènes : on s'imagine bien que cet homme né pour une fête perpétuelle dut louvoyer jusqu'au bout entre les écueils des administrateurs inertes et inamovibles, les grains subits de la malignité, et la troupe d'enthousiastes et dansants dauphins qui suivaient cet Arion et auxquels, comme on le pense bien, se mêlaient çà et là quelques scombres. Il laissa derrière lui fort peu de traces écrites (une étude sur Monsu Desiderio est presque son seul ouvrage achevé), des collections publiques enrichies ou créées de fond en comble, quelques demeures-fées, dont l'une dans le département du Var, à la fois luxueuse et pauvre, et cette dorure de légende qui recouvre si vite les êtres qui ont été à la fois adulés et contestés, mais rarement compris.

Écrite à la demande de cet interprète passionné d'*Hamlet* il était naturel que *La Petite Sirène* mêlât çà et là aux douces demi-teintes du conte d'Andersen les tons vifs de l'époque élisabéthaine. Everett Austin y fut de nouveau prince de Danemark, sans avoir cette fois à porter sur ses épaules un chef-d'œuvre. La pièce s'encastrait, comme je l'ai dit plus haut, dans un divertissement consacré aux quatre éléments. Le Feu avait inspiré un court ballet de style expressionniste à une danseuse d'origine berlinoise, partie d'Allemagne à temps pour éviter les fours crématoires; un ballet baroque dédié à l'Air narrait les aventures galantes de Jupiter, représenté par Chick qui y esquissait un pas de deux avec le mélange d'aisance et de timidité que dut avoir Louis XIV sur la scène de Versailles, mais la vedette véritable en était l'Air lui-même, jeune Noir empanaché, plongeur de son métier dans un restaurant de Main Street. J'ai oublié de quoi se composait l'élément Terre. La femme d'un négociant en gros, qui avait été dans *Hamlet* une Gertrude encore jeune, incarna la Petite Sirène; elle avait le charme et les beaux yeux verts du rôle. Un jeune vétéran, comme ils disent en ce pays, revenu d'un autre théâtre, celui du Pacifique, fut le page Égon; je le vois encore, nu aux trois quarts et repassant son costume dans un coin de l'arrière-scène, rendu aux délices des coulisses après le cauchemar à peine moins préfabriqué et artificiel de la guerre. Une secrétaire du Wadsworth Athenaeum, originaire de la *Petite Italie* locale, menait avec des grâces maniéristiques le chœur des Sirènes dans un décor de corail rose; elle s'éclipsait, le premier acte fini, pour aller rejoindre dans l'usine d'armement l'équipe de nuit, qui s'appelait alors l'équipe Mac

Arthur. Ce divertissement fit peu de bruit, aucune de ses parties n'étant signée d'un nom célèbre; il fut même assez peu moqué. Je ne l'ai pas trouvé dans la liste des productions théâtrales d'Austin publiée après sa mort.

En la relisant, je m'aperçois que j'avais mis dans cette piécette plus que je n'y pensais mettre. Nos moindres œuvres sont comme des objets où nous ne pouvons pas ne pas laisser, invisible, la trace de nos doigts. Je me rends compte avec quelque retard de ce qu'a pu obscurément signifier pour moi à l'époque cette créature brusquement transportée dans un autre monde, et s'y trouvant sans identité et sans voix. Mais de plus, et surtout, cette rêverie océanique date d'un temps où le vrai visage, hideux, de l'histoire, se révélait à des millions d'hommes dont une bonne part sont morts de cette découverte; même à la distance où le hasard m'avait mise, j'avais vu ce que j'avais vu. C'est à partir de cette époque et par l'effet d'une ascèse qui se poursuit encore, qu'au prestige des paysages portant la trace du passé humain, naguère si intensément aimée, vint peu à peu se substituer pour moi celui des lieux, de plus en plus rares, peu marqués encore par l'atroce aventure humaine. L'année où fut composée cette fantaisie est aussi celle de ma première visite à l'État du Maine : ce sont les côtes du Maine, et non celles du Danemark, que je ne connus que plus tard, qui ont inspiré ces paysages bleu-blanc-gris et cette familiarité avec les phoques et les oiseaux-anges. Ce passage de l'archéologie à la géologie, de la méditation sur l'homme à la méditation sur la terre, a été et est encore par moments ressenti par moi comme un processus douloureux, bien qu'il mène finalement à quelques gains inestimables. De cette rupture et de cet acquis, la petite sirène abandonnant ses jeux d'acrobate et le poignard de ses rancunes pour rentrer dans le monde primordial dont elle est sortie était, je m'en aperçois aujourd'hui, à la fois la préfiguration et le symbole.

La spectatrice qui se plaignait que cette pièce lui dénaturât l'Andersen de sa petite enfance avait donc raison. L'œuvre ravissante de Hans-Christian est écrite sur le mode du conte merveilleux : le prince et la princesse y sont tracés d'une ligne mélodiquement aussi pure que l'innocente sirène elle-même. Tout ce qui touche à l'humain appartient au contraire dans cette petite pièce au mode de la satire : les nains grossiers et lubriques, le pompeux comte Ulrich qui doit beaucoup à Polonius, la princesse stupide, le prince narcissique et velléitaire, couvrant ses volte-face d'un manteau de rhétorique poétique, et chez qui perce déjà, comme le vieil Égée gâteux dans le Thésée de *Qui n'a pas son Minotaure ?*, le monarque conventionnel qu'il sera un jour. Les tensions qui s'établissent à l'intérieur de cette œuvrette minuscule sont du domaine du drame et non plus du conte. Techniquement parlant, par l'emploi de chœurs, par le choix délibéré de certains rythmes, *La Petite Sirène* est le livret d'un drame lyrique. Si je la publie aujourd'hui, c'est un peu dans l'espoir qu'un musicien un jour s'en empare, capable de mettre sur ces paroles les bruits et les voix de la mer.

30 mai 1970.

PERSONNAGES

LA PETITE SIRÈNE.
LA SORCIÈRE-DES-EAUX.
LA PRINCESSE DE NORVÈGE.

LE PRINCE DE DANEMARK.
LE COMTE ULRICH.
LE PAGE ÉGON.
LE NAIN GOG.
LE NAIN MÉGOG.

CHŒUR DE SIRÈNES.
CHŒUR DES OISEAUX-ANGES.

Première partie

AU FOND DE LA MER

LES SIRÈNES, *chantent, secouant leur longue chevelure :* Ah! Ah! Ah! Bleues, blanches, bleues comme les vagues! Ah! Oh! Hi! Grises comme les nuages et l'aile des mouettes! Ah! Ah! Noires comme la tempête qui lacère les voiles!

Nous sommes pourpres comme la mer au couchant, quand le soleil saigne, pâles comme midi sur l'eau, quand le pêcheur, trompé par tant de transparence, ne sait plus très bien s'il ne faut pas jeter ses filets en plein ciel, — et, la nuit, nous sommes la matière des ténèbres, la luisante noirceur, les yeux verts du gouffre, la chevelure humide de la lune qui point à l'Orient!

Les matins d'hiver, sous le ciel blanc, dans les vagues grises, nous bondissons comme des baleines, lourd troupeau de la mer... Et nous sautons, les jours d'été, comme des dauphins, sur les rochers de la Sicile... Les soirs de tempête, en plein large, loin des voiles, loin des cordages, loin des mâts, loin de tout ce qui crie ou grince, loin des rivages, des cavernes ou des récifs, loin de tout ce qui tonne ou retentit, nos voix aiguës jaillissent et chantent, seul cri des vagues silencieuses...

Absorbées, dilatant nos ouïes divines, nous rôdons dans les forêts submergées, pareilles aux poissons pensifs, répandant leur semence de nacre dans le sein froid de la mer... Nous fondons comme des requins sur le corps des naufragés... Femmes de l'abîme, bêtes éternelles, nous filons le long des courants tièdes comme des anguilles amoureuses;

opalines, gonflées de rêve comme des méduses, nous dérivons sous la lune...

LA PREMIÈRE SIRÈNE : Où aller?

LA DEUXIÈME SIRÈNE : Chasser avec les baleines au milieu des blocs de glace verte.

LA TROISIÈME SIRÈNE : Où aller?

LA QUATRIÈME SIRÈNE : Cueillir des rameaux de corail.

LA DEUXIÈME SIRÈNE : Où vas-tu, toi?

LA CINQUIÈME SIRÈNE : Au bord d'une mer bleue, sur une plage blonde. Il y a là de gros troncs d'arbres tout en pierre, reste d'une ville engloutie. Ils sont blancs et lisses comme une peau humaine. J'y enroule ma queue, et je frotte mes écailles contre le marbre.

LA PREMIÈRE SIRÈNE : Toi, où vas-tu?

LA SIXIÈME SIRÈNE : Inspecter le vaisseau de haut bord, la grande carcasse de bois d'où des matelots barbus nous appelaient, tendant leurs bras couverts de poils. J'ai vu la bataille : tous sont morts; la proue est piquée dans un banc de sable. Je me faufile comme un poisson dans la coque éventrée; je cherche s'il reste, parmi les crânes fracassés, des heaumes d'or.

LA TROISIÈME SIRÈNE : Où vas-tu?

LA SEPTIÈME SIRÈNE : Dormir sur les roches.

LA TROISIÈME SIRÈNE : Et toi?

LA DEUXIÈME SIRÈNE : Laisse-la! C'est la Sirène folle. Elle mêle à ses chants des mots humains. Viens! Partons!

LA CINQUIÈME SIRÈNE : Plus vite! Sauve qui peut! Une ombre rampe sur le sol des mers!

LA PREMIÈRE SIRÈNE : C'est la Sorcière-des-Eaux, la-plus-laide-des-femmes-de-l'abîme, la bête aux dents de requin, aux yeux de langouste, aux bras de pieuvre, la mangeuse de chair de Sirène! Vite!

LA SEPTIÈME SIRÈNE : Vite! Avant que ses tentacules ne s'enroulent dans nos cheveux!

Elles fuient. La petite Sirène demeure assise au creux d'un rocher, soutenant dans son giron la tête d'une statue incrustée de coquillages et drapée d'algues.

LA SORCIÈRE DES EAUX, *criant :* Qui es-tu, toi qui ne fuis pas, m'ôtant le plaisir de tout chasser sur mon passage, agitatrice des eaux calmes? Ne crains-tu pas la-plus-laide-des-créatures, la mangeuse de chair blanche et bleue?

La petite Sirène pousse un long soupir.

LA PETITE SIRÈNE : Pourquoi te craindrais-je? Mon cœur me dévore.

LA SORCIÈRE DES EAUX : Ton cœur? Bête au sang chaud, petite baleine femme, ton cœur te sert-il à autre chose qu'à pomper ce liquide visqueux qui s'écoule quand un pêcheur te harponne, et dans sa fuite irise la mer. Qu'as-tu?

LA PETITE SIRÈNE : J'aime quelqu'un.

LA SORCIÈRE DES EAUX, *épouvantée :* Par ce mot, tu trahis ton royaume. Pas d'amour au fond des mers.

LA PETITE SIRÈNE : Si c'est une trahison, je la commets depuis des siècles. Oui, des siècles, car je commence déjà à compter comme les hommes. Jadis, quand les navires du sud avaient des voiles rouges et trois rangs de rameurs, je me suis aventurée jusqu'à cette mer plus bleue que les autres que les marins nomment Égée. Un vaisseau éventré par un écueil à fleur d'eau laissait perdre sa cargaison de trésors dont nous ignorons l'usage : des jarres brisées embaumaient la mer. Une forme blanche coulait à pic, que j'ai prise d'abord pour le cadavre du plus beau des hommes. Mais non : depuis des siècles, il dort incorruptible sur cette plage sous-marine. Et, chaque jour, je berce sur mes genoux sa tête lourde... Regarde! Je me suis même habituée à ces étranges supports qu'ils nomment jambes... Et chaque nuit, prudemment, je monte à la surface; j'épie les hommes sur tous les rivages de la terre. Mais, jusqu'à l'autre jour, je n'en avais pas vu d'aussi beau.

LA SORCIÈRE DES EAUX : Non, tous sont laids. Et leurs meilleurs nageurs s'agitent comme des grenouilles.

LA PETITE SIRÈNE : Et, jusqu'à l'autre jour, je n'en avais pas vu d'aussi beau... Mais hier, par une tranquille nuit sans lune, je me suis aventurée dans un fjord. Les lumières du château royal tremblaient à peine sur l'eau lisse et noire. Je flottais, entourée d'un vol de courlis, prise au piège par le son des musiques humaines. Leurs voix sont moins belles que les nôtres, mais ils possèdent des instruments que nous ne connaissons pas. Et, tout à coup, j'ai vu le Prince sur la terrasse illuminée par les torches. Le vent de la nuit gonflait son manteau. Son visage était aussi beau que celui-ci, et presque aussi blanc. Il rêvait, le poing appuyé à la balustrade, et regardait la mer. Et, tout de suite, je l'ai aimé.

LA SORCIÈRE DES EAUX : Plus d'une Sirène a désiré un fils des hommes. Tu ne lui as pas montré ta gorge? Tu n'as pas chanté?

La petite Sirène frissonne.

LA PETITE SIRÈNE : Non. J'ai vu des noyés aux yeux ternes, au gros ventre, aux pieds rigides. Je ne veux pas l'entraîner dans un élément qui n'est pas le sien, séduit, assassiné par la voix des eaux.

LA SORCIÈRE DES EAUX : C'est pourtant bon, la chair d'un homme qu'on aime! Hélas, j'en parle par ouï-dire, moi qui n'ai pour appas ni gorge d'or, ni voix d'argent.

LA PETITE SIRÈNE : C'est lui que j'aime, et non sa seule chair, lui entier, lui vivant. Tout ce qui est lui m'emplit d'une curiosité avide comme la soif et la faim... J'ai envie de humer l'air qu'il respire, de mordre aux nourritures qu'il goûte... (Ah, je recrachais autrefois ces aigres pommes flottant à la dérive, rebut des jardins terrestres!) Je voudrais regarder l'océan de loin, comme lui, en étranger ignorant des secrets de l'abîme... Marcher, comme lui, sur cette terre où il pose les pieds.

LA SORCIÈRE DES EAUX : Marcher, tu blasphèmes!

LA PETITE SIRÈNE, *baissant la tête :* Je sais! Mais que faire, ô mère-de-toutes-les-terreurs? Si je traînais ma croupe sur les galets de la plage, les lessiveuses du palais m'assommeraient avec leurs battoirs, comme elles ont tué l'autre jour un vieux Triton malade qui se chauffait au soleil. Les hallebardiers me perceraient de leurs piques, pour le plaisir de voir suinter mon sang huileux... Ou bien, un pêcheur rusé me traînerait dans les rues de la ville, et l'on montrerait la Sirène dans une boîte de verre, pour un de ces sous qui servent aux hommes à acheter du pain... Ah, n'être qu'une femme, ornée des seuls appas d'une femme...

LA SORCIÈRE DES EAUX : Tout homme a autour de lui mille femmes qu'il n'a pas regardées deux fois.

LA PETITE SIRÈNE : Du moins n'inspirent-elles ni dégoût, ni étonnement, ni terreur. Leur chance si mince est une chance humaine. Elles ne traînent pas avec soi l'abîme et ses vagues; elles n'ont d'autre gouffre que leur cœur... Avoir deux pieds blancs pour suivre mon prince sur les routes au crépuscule, deux fermes pieds nus. Je désire des jambes humaines comme certains hommes, dit-on, ont désiré des ailes.

LA SORCIÈRE DES EAUX : Tu commets le crime suprême : tu veux changer d'élément, changer d'espèce. Es-tu résolue?

La petite Sirène pousse un cri de joie.

LA PETITE SIRÈNE : Connais-tu un moyen, sœur de Léviathan?

LA SORCIÈRE DES EAUX, *véhémente :* Que me donneras-tu?

La petite Sirène recule, laissant retomber la tête de la statue.

LA PETITE SIRÈNE : Mère, je n'ai rien. Les Sirènes sont nues. Et ces bracelets ne sont que des perles qu'on peut ramasser dans tous les coins de la mer.

LA SORCIÈRE DES EAUX : Et ta voix? Crois-tu que je ne me lasse pas d'être une bête qui hurle comme un chien à la chaîne? (Tu les as entendus sur le rivage, près des cabanes de pêcheurs, durant les longues nuits d'automne?) Donne ta voix, et je te donnerai ces supports si fermes qui tremblent et fléchissent dans la prière, la peur et l'amour.

La petite Sirène s'écarte, rampant sur le sol.

LA PETITE SIRÈNE : Ma voix!

LA SORCIÈRE DES EAUX, *sauvage :* Laisse-moi sucer ta voix!

LA PETITE SIRÈNE : Sans ma voix, comment lui dirai-je mon amour?

LA SORCIÈRE DES EAUX, *cajoleuse :* N'auras-tu pas tes yeux? N'auras-tu pas ton corps? N'auras-tu pas ta danse? Je te donnerai des pieds habiles à danser.

LA PETITE SIRÈNE : Hélas, queue écailleuse! Pivot de mon corps, spirale qui me rattache à la mer! Que deviendrai-je, si tu m'arraches la moitié de moi-même?

LA SORCIÈRE DES EAUX : D'abord, avec mon couteau de pierre, je raclerai tes écailles. Puis, dans mon chaudron, je ferai bouillir à petit feu toute cette nacre. Et, quand le liquide aura monté trois fois, je le jetterai sur ta queue saignante. Tu sortiras de cette torture douée de jambes minces, aux purs genoux, de pieds blancs aux orteils roses, gais comme les doigts d'un nouveau-né.

LA PETITE SIRÈNE : De pieds blancs aux orteils roses pour marcher avec mon prince sur ces petites algues parfumées qu'ils appellent des fleurs...

LA SORCIÈRE DES EAUX : Elle est dure, la terre des hommes. A chaque pas, à chaque mouvement, tu souffriras comme si les galets de la plage t'entraient dans le cœur. Mais il te faudra sourire, sourire de ta bouche qui ne pourra plus même crier.

LA PETITE SIRÈNE : Je ne pourrai pas plus m'empêcher de sourire en présence de mon prince, que l'eau de rendre au soleil du soleil reflété. Viens! Je suis résolue. Mange ma voix! Prépare tes couteaux.

La Sorcière des Eaux se rue sur elle.

LA SORCIÈRE DES EAUX : Ah! Ta voix! Tes lèvres!

LA PETITE SIRÈNE : Non. Un instant. Attends un instant. Que je chante tout bas pour mon prince la chanson qu'il n'entendra pas... Mon chant de mort... Mon dernier chant...

Amour, plus sombre et plus amer
Que le vent du soir sur la mer,
Amour qui me tiens et me tues...

(Souvenez-vous du chant quand la Sirène se sera tue!)

Comme le dur roc au soleil,
Je me réchauffe à ta lumière;
Le feu fait éclater la pierre...

(Souvenez-vous de l'amour lorsque le cœur sera poussière!)

Prends-moi, Amour, car j'ai sommeil.
Sur ton cœur, abîme où tout sombre,
Je flotte, algue, léger décombre...

(Souvenez-vous des pleurs versés quand les vivants se changent en ombres!)

Deuxième partie

AU BORD DE LA MER

Le Prince se promène sur la grève accompagné du Comte Ulrich, son aide de camp, et suivi par deux nains.

LE PRINCE : En vérité, mes nains, vous êtes plus heureux que le prince, vous dont le destin est fixé, et qui ferez toute votre vie la même grimace et les mêmes cabrioles! (Ne pleure pas, mon Gog, tu es beau à ta manière!) Pour moi, la jeunesse est finie; ma liberté ferme l'aile; j'affuble mes épaules de majesté et des pompeux soucis de l'État... Le navire appareille; les présents sont empilés dans la cale; le Prince de Danemark voguera demain vers sa froide fiancée de Norvège... Adieu, femmes de la ville, visages aperçus à la lueur d'un lampion rouge! Et vous, filles de pêcheurs, petites crevettes grises au bord des mares! Et vous, bohémiennes rencontrées au détour d'une route, qui lisez l'avenir dans la main, et qui êtes vous-même une part de cet avenir!... Adieu, femme rêvée, cherchée en vain, faite d'illusion autant que de désir! ... Ulrich, mon camarade, tu ne me reconnaîtras plus sous mon déguisement de mari et de roi...

LE COMTE ULRICH : Puis-je rappeler au Prince que l'héritière de la Norvège lui est inconnue? Son Altesse n'a pas encore jeté les yeux sur sa fiancée.

LE PRINCE : Bah! Une poupée, un mannequin en manteau d'hermine! Hélas, une reine fait partie de l'attirail d'un roi.

LE COMTE ULRICH : Le Prince oublie trop que son sort est digne d'envie. Bien des hommes donneraient leur sang pour une heure de royauté.

LE PRINCE : Et moi, je donnerai toute mon existence de monarque pour une heure comme celle-ci, une simple promenade au bord de la mer... (Ah, de ma liberté mes folies n'étaient que l'enseigne et la bruyante fanfare : c'est la liberté même que je regrette et l'insouciance du jeune homme couché au carrefour de l'avenir!) Regarde : un pêcheur tire un filet qui ne contient d'autre trésor que quelques flocons d'écume; un oiseau plane, rebroussé par le vent; le sable absorbe chaque cerne humide laissé par les vagues... Et la moindre flaque déposée par la marée haute est un miroir à Sirènes.

LE COMTE ULRICH : Son Altesse est poète, et je ne sais qu'admirer le plus, du réalisme de ses images, ou de ce don de renouveler les métaphores les plus usées.

LE PRINCE : Que de nuits j'ai passées sur cette grève, à essayer de mettre en paroles les bruits magiques de la mer!... Mais les poètes sont rarement témoins oculaires de miracles, et ce rivage, où la moindre vieille femme se flatte de rencontrer Neptune, ne fournit au Prince que des poissons pour sa table du Vendredi saint.

LE COMTE ULRICH : Sornettes de commères! L'éducation du peuple, Monseigneur, sera une des tâches de votre règne.

Le nain Gog chuchote mystérieusement, un doigt contre ses grosses lèvres.

LE NAIN GOG : Doucement, l'oncle Ulrich! Je me connais un peu en musique!... Et cette nuit, dans la niche à chien que j'habite du côté de la mer, j'ai entendu comme une voix de femme hurlant à la lune. Pas un chant, mais un sanglot si doux qu'on avait envie d'en mourir... Une espèce de frisson a passé le long de ma bosse. (Je me connais un peu en sorcellerie, étant né dans l'île de Rügen.) Je me suis levé...

LE COMTE ULRICH : Bon! Quelque femme de chambre, une blanchisseuse en mal d'enfant!

LE NAIN GOG, *humblement :* Non ! Quoiqu'une blanchisseuse réelle, Messire, serait encore un meilleur gibier pour un nain qu'une Sirène de rêve. Mais la terrasse était déserte. Seule (sauf vot' respect), une sentinelle ronflait à son poste. Et la fée des eaux a replongé avant que mes petites jambes pussent l'atteindre.

LE COMTE ULRICH : Dommage ! J'aurais payé cher pour assister à l'union d'un avorton et d'une poissonne. Le fouet, le fouet, Monseigneur, pour les nains qui mentent, ou le carcan pour les nains ivrognes !

LE PRINCE : Paix ! De quel droit refuserais-je à l'univers la possibilité d'une Sirène ?... Sais-je... Pour en revenir au vin d'Espagne importé en prévision du repas de noce... Mais quoi, Égon, mon bon page, nous rejoint, traînant derrière lui je ne sais quoi qui se débat sur le sable.

ÉGON, *essoufflé :* Une femme, Altesse, une femme ! J'ai trouvé derrière ce rocher une femme évanouie, à demi plongée dans l'eau. Voyez ! J'écarte ses cheveux... Elle ne mord pas. Elle paraît très douce...

LE PRINCE, *penché :* Non, je ne la connais pas... C'est étrange, que tant de beauté ait pu échapper au Prince...

LE NAIN MÉGOG : Quand on parle de Sirènes, Altesse, on en voit... *(il relève la robe)* ...la queue... Mais non ! Elle a des jambes, et de belles jambes !

LE PRINCE : Assez ! Elle a de beaux yeux clairs. C'est sans doute une honnête enfant, une fille de marchand qu'une querelle aura chassée du foyer. Jeune fille...

ÉGON : Elle ne comprend pas le danois. J'ai essayé.

LE PRINCE : Me comprends-tu, jeune fille ?

La petite Sirène fait signe que oui.

LE PRINCE : Peux-tu me répondre ? *(La petite Sirène secoue la tête en pleurant.)* Pas plus de voix que de queue, mes bons nains ! La Sirène s'évanouit, et il reste une fillette qui pleure. Dis-moi, as-tu fui la maison de tes parents ? *(La petite Sirène fait signe que oui.)* Je m'en doutais. As-tu commis une de ces fautes que commettent les jeunes filles ?

(La petite Sirène fait signe que non.) Quoi, pas de faute, ô très sage enfant? Aimes-tu quelqu'un? *(La petite Sirène éclate en sanglots.)* Et il te trompe, ou il te dédaigne. Console-toi, jeune fille. Le meilleur des hommes coucherait aussi volontiers avec une ribaude qu'avec la plus belle des Anges. Il faudra rechercher les père et mère de cette enfant, Comte Ulrich.

ÉGON : Regardez, Monseigneur! Cette robe de soie verte a été tissée sur les métiers de l'Orient; ces pieds-là n'ont jamais marché sur le galet des plages ni sur le pavé des villes... Et ce bracelet de perles payerait la rançon d'une reine.

LE PRINCE : Parbleu! Tu as raison, mon page! C'est quelque noble fille enlevée par des pirates, et pleurée sans doute par tout un peuple en un lointain pays. Réponds, jeune fille! Sais-tu écrire? Peux-tu tracer ton nom sur le sable? *(La petite Sirène secoue la tête.)* Es-tu fille de roi?

La petite Sirène fait signe que oui.

LE COMTE ULRICH : C'est ce qu'elles disent toutes, Monseigneur. Ce sera quelque coureuse, une nouvelle ribaude amenée ici à grands frais par la procureuse à l'enseigne de la Botte d'Or. Elle se sera égarée en chemin à la suite d'un beau garçon.

LE PRINCE : Ribaude ou reine, elle a des yeux si grands qu'on s'y perd. Qu'en dis-tu, Gog?

LE NAIN GOG : Pouah! Une fille de pêcheurs, ayant volé ses bijoux à quelque statue de la Sainte Vierge. Elle sent la marée.

LE NAIN MÉGOG : Donnez-la-nous, Altesse. Il faut bien qu'elle gagne sa vie comme une autre. Je lui apprendrai à faire des grimaces.

LE PRINCE : Bas les pattes, nains envieux! Avez-vous peur de la concurrence déloyale que vous fait la beauté?... Mais en vérité, jeune fille, que deviendras-tu, si tu ne peux nous dire ni ton pays ni ton nom? Sais-tu filer la laine et la soie, préparer les confitures précieuses de l'étranger, distiller des philtres, ou mettre au service des malades la vertu des simples?

La petite Sirène secoue la tête.

LE COMTE ULRICH : Je gage qu'elle sait faire l'amour, Monseigneur?

LE PRINCE : Sais-tu aimer, jeune fille? Sais-tu faire vibrer ton corps comme une harpe ou comme un gong? Ou l'enrouler comme une écharpe au corps d'un homme? *(La petite Sirène se traîne à ses pieds, et lui baise les mains.)* Quelle flamme! Pardieu, tu me tenterais, si mes bonnes résolutions étaient plus vieilles d'une demi-heure!... Mais qu'est-ce qu'une amante muette qui ne pourrait tendrement prononcer mon nom? Dieu ne t'a pas donné de voix.

La petite Sirène pleure.

LE NAIN MÉGOG : Mon grand-père avait coutume de dire que le meilleur mariage était celui d'un homme aveugle et d'une femme muette.

LE PRINCE : Ne pleure pas, jeune fille. La plupart des gens parlent pour ne rien dire, et presque tous sont sourds et aveugles. Rien, certes, n'est tel qu'une voix pure pour guérir nos peines et nous porter au ciel, mais il est des poses qui valent tous les chants, des gestes qui valent toutes les musiques. Sais-tu danser? *(La petite Sirène se lève en esquissant avec effort quelques pas de danse, et s'effondre en gémissant sur le sol.)* Quoi? Soutiens-la, Égon! Elle se meurt!

LE COMTE ULRICH : C'est probablement une folle atteinte du haut mal. N'approchez pas, Monseigneur!

LE PRINCE, *à genoux :* Non! Non! Toute la grâce du monde était dans ses gestes, et le mouvement de ses petits pieds maladroits rappelait le coup d'aile oblique de l'alouette de mer! Regarde! Je n'ai jamais tenu entre mes mains de pieds si petits! Mais elle tremble horriblement, et nous ne saurons jamais si c'est de peur, de froid, ou de délice... La pauvre enfant meurt sans doute de faim... Égon, conduis-la à bord; fais-lui préparer un bon repas. (Et n'oublie pas de dire à la matrone d'inspecter sa longue chevelure : il ne faudrait pas embarquer de vermine.) Messieurs, le voyage sera long, et sa danse nous distraira, le soir, sur le pont trempé par les brouillards du large... Entends-tu, jeune fille? Et, qui sait? Peut-être, une nuit, aurai-je envie de te chuchoter à l'oreille quelque mot d'amour auquel tu ne pourras pas répondre. Es-tu contente?

Va! Va!... Et nous, amis, n'oublions pas, dans chaque port où nous ferons escale, de nous informer si les pirates n'ont pas enlevé quelque belle fille. La police des mers est le souci constant des rois.

Troisième partie

SUR LE NAVIRE DU PRINCE AMARRÉ SUR LA CÔTE DE NORVÈGE

Les deux nains sont assis sur un escabeau, au seuil de la tente royale.

LE NAIN GOG : Sale voyage !

LE NAIN MÉGOG : Sale pays !

LE NAIN GOG : Mais, hier, le dîner de noce était bon ! *(Un hoquet.)* ...Le cuisinier du roi de Norvège a bien fait les choses.

LE NAIN MÉGOG : Le diable emporte le cuisinier du roi de Norvège ! J'étais assis près du poêle; il m'a chassé avec sa pelle toute rouge !

LE NAIN GOG : Tu ne sais pas t'y prendre ! Moi, la fille de cuisine m'a gardé tous les os de dindon !

Il lui parle à l'oreille.

LE NAIN MÉGOG : Ha ! Ha ! Ha ! Vieux malin !

LE NAIN GOG : Avec tout ça, il va falloir inventer de nouvelles grimaces au goût norvégien... Et la princesse, qu'en penses-tu ? *(Le nain Mégog lui parle à l'oreille.)* Ha ! Ha ! Ha ! Quant à moi, j'aimerais tout autant la petite muette !

LE NAIN MÉGOG : T'as pas eu de chance avec la petite muette !... Tu te souviens du jour où elle t'a mordu ?

LE NAIN GOG : Broouh ! Des dents de requin !

LE NAIN MÉGOG : Elle me dégoûte, moi ! Il n'y en a eu que pour elle pendant le voyage.

Le nain Gog se frotte les épaules.

LE NAIN GOG : On ne l'a pas fouettée une seule fois !

LE NAIN MÉGOG : Tu as déjà vu fouetter de beaux yeux ?

LE NAIN GOG : Des yeux de poisson ! Une idiote puante ! On ne m'ôtera pas de l'idée qu'il y a de la sorcellerie là-dessous.

LE NAIN MÉGOG : J'en parlerai à l'Évêque dès mon retour à Copenhague. Quel beau feu ça ferait !

Rires.

LE NAIN GOG : M'est avis que tu ferais mieux de la dénoncer à la future reine !

Rires plus forts.

LE NAIN MÉGOG : J'en ai assez, à la fin ! Ça me dégoûte de la voir assise à côté de moi à table, dévorant du poisson cru ! Le plus simple, ce serait encore de la jeter à l'eau !

LE NAIN GOG : Excellente idée, mon Hercule ! Tu la prendras par la tête...

LE NAIN MÉGOG : Et toi par les pieds, mon Samson ! Hoop là !

Les deux nains s'étouffent de rire. Le Prince fait son entrée, suivi du Comte Ulrich et de la petite Sirène. Le Prince est en costume de cour. La petite Sirène est en maillot d'acrobate.

LE PRINCE : Ulrich, occupe-toi des musiciens ! Leur as-tu enseigné ce nouveau madrigal de Roland de Lassus ?... Que tout soit prêt ; qu'ils se tiennent, le menton penché sur leurs cordes... Et, dès que ma royale bien-aimée posera le pied sur le pont de ce navire, que la musique se gonfle, s'agite, s'enroule et se déroule comme une oriflamme de plus : Ah, au seul contact de ce doux pied chaussé de velours blanc, tout le navire devrait vibrer d'amour comme un violoncelle... Ulrich!

LE COMTE ULRICH : Prince...

LE PRINCE : Tu étais près de moi dans le cortège, à l'église, au palais. Tu as vu la princesse... Ah, Ulrich, ne me dis pas qu'elle est belle, à moins que tu ne possèdes un mot tout neuf, frais comme l'aube, inventé pour elle seule, et qui signifierait beauté...

LE COMTE ULRICH : Altesse, la princesse est digne du prince. Le prince est digne de la princesse.

LE PRINCE : Va, Comte Ulrich! Va t'occuper des musiciens! *(Le Comte Ulrich sort. Le Prince se tourne vers la petite Sirène.)* ...Et toi, enfant, sais-tu la danse que je t'ai apprise?... Je compte sur toi pour exprimer mon bonheur en gestes délicieux... Es-tu prête? *(La petite Sirène fait signe que oui.)* Enfant, lève les yeux vers moi. Regarde-moi comme si tu me comprenais... Dieu t'a peut-être créée pour que je puisse confier mon secret à une muette. Enfant qui m'as rendu plus douce la solitude de la mer, je ne te remercie ni pour ton corps, ni pour tes danses (toutes les belles filles ont un corps, et quelques-unes savent danser), je te remercie pour ton silence qui me permet de te parler sans être interrompu, approuvé, ou contredit... J'aime, enfant... Ma sagesse de jeune homme, si semblable à une sagesse de vieillard, est tombée de mes épaules comme un manteau d'hiver... Je croyais aller par devoir à la recherche d'une reine, et voici que pour la première fois je comprends pourquoi les hommes ont placé dans leurs églises l'image d'une femme portant sur sa poitrine un nouveau-né. Je comprends pour la première fois le bonheur du garçon laitier se promenant le soir avec la laitière; et que l'amour est un mystère, et pas seulement un plaisir triste, et que chaque baiser donné par des lèvres périssables est plus fort que la mort. Hier, dans l'église, quand elle s'est tournée vers moi pour prononcer le « oui » qui comprend tout, la parole semblable à un parfait cercle d'or, j'ai su pour la première fois que la vie n'est pas seulement un chiffon coloré, un costume de Carnaval dont on s'affuble pour boire et danser, et que le vent du nord nous arrache lambeau par lambeau, mais une étoffe solide qui servira à nos enfants... Et, le soir, après le banquet, quand elle s'est approchée du balcon pour chanter... Mais, hélas, petite fille sans voix, comment sauras-tu jamais dans quel ciel peut monter un chant de femme? *(La petite Sirène se couvre le visage des deux mains.)* Écoute, enfant! Ne sois pas triste!... Ma vie va changer, mais tu seras aussi bien traitée que mes faucons après la saison des chasses, ou mes jongleurs après les fêtes de Noël. A Copenhague, je te confierai, si tu veux, à l'Abbesse du couvent de la Sainte-Épine... Tu seras heureuse dans leur beau jardin clos de murs, fleur réservée à Dieu...

La petite Sirène secoue la tête.

LE PRINCE, *souriant :* Quoi, pas de couvent, jeune plante sauvage? Préfères-tu la maison de Dame Balbine à l'enseigne de la Botte d'Or?... Les filles y sont nourries de mets délicats, et vêtues de robes apportées de Paris par les mêmes courriers que ceux de la reine. Et j'allais moi-même de temps à autre y passer mes soirées, autrefois... *(La petite Sirène secoue la tête.)* Enfant, tu es difficile!... Enfin, nous trouverons quelque chose. Ne t'inquiète pas... Ah, et surtout n'oublie pas, tout à l'heure, cette figure de danse où tu te tiens la tête en bas, comme un petit phoque, avec une grâce un peu comique. Ah, les violons! *(Musique.)* ... Du calme, mon cœur! Tout le bonheur du monde s'approche sur deux petits pieds chaussés de vair! Ma Reine! *(Il s'agenouille. La Princesse entre, suivie de ses filles d'honneur, et escortée du Comte Ulrich.)* Ma Reine!... Car vous êtes ma reine encore plus que mon âme! Mon âme! Car vous êtes mon âme encore plus que mon cœur!... J'avais cru venir à vous chargé de trésors et d'expérience, mais voilà que l'enfant jette au loin les cailloux ramassés sur la route, pour recevoir la perle parfaite... J'avais cru vous apporter mes passions mais c'est vous qui m'apprendrez cet amour neuf comme le commencement du monde, pur comme l'étoile du soir et celle du matin!... Ah, je me sens naïf comme un enfant, gauche comme un écolier, démuni comme un esclave, peut-être parce qu'en ce jour j'accède à ma dignité d'homme et de roi... J'avais cru vous apporter ma mélancolie, mais je rejette cette défroque usée, et je m'enroule dans votre joie comme dans du drap d'or... J'avais cru vous apporter ma couronne, mais que peut-on donner à un cygne, sinon l'eau et le ciel?... Je voudrais être un gueux à vos pieds, un mendiant à votre porte, afin de tenir de vous mon pain comme je tiendrai de vous mon cœur.

LA PRINCESSE : Que dites-vous? Je vous préfère roi.

LE COMTE ULRICH : La Princesse a raison.

Les filles d'honneur se retirent en faisant des révérences.

LE PRINCE : Asseyez-vous, Princesse, sur ce lit de repos couvert de fourrure. Ce navire est petit comme un nid flottant. Pareils aux alcyons de l'ancienne Grèce, nous voguerons ce soir sur une mer calme, favorable à notre saison des noces.

LA PRINCESSE : On m'avait bien dit, Prince, que vous étiez savant. Vous parlez comme les livres des poètes où j'ai appris à lire. Non, cette traversée avec vous ne sera pas longue, et bientôt les plaisirs de Copenhague nous feront oublier la monotonie de l'océan.

LE PRINCE : Vous ne souffrirez pas du vent du soir. J'ai fait poser des tapisseries autour de la tente.

LA PRINCESSE : Tant mieux. La vue des vagues me donne le mal de mer.

LE PRINCE : Je ne m'en étonne pas. Ce spectacle insipide fatigue les nerfs et plonge l'esprit dans une sorte d'hébétude... Quoi de plus ennuyeux que ces courbes toujours les mêmes, ce noir qui succède à du bleu, et auquel à nouveau succède du bleu-gris!... Mais, même sur ce navire, nous avons nos distractions, nos musiciens et nos jongleurs, et voici mes nains, qui ont appris des grimaces nouvelles pour vous plaire.

Les nains saluent et exécutent des grimaces. Musique grotesque.

La Princesse rit aux éclats.

LA PRINCESSE : Oh! Oh! Qu'il est drôle! Et celui-là, avec sa bouche fendue jusqu'aux oreilles!

LE PRINCE : Ah, rire frais comme une cascade au printemps!... Bons nains, vous recevrez chacun une pièce d'or!

Les nains saluent et se retirent.

LE PRINCE, *présentant la petite Sirène :* Et celle-ci, c'est une enfant trouvée, une petite muette dont la danse nous a parfois distraits, durant le voyage, au pied du grand mât.

La petite Sirène esquisse un pas de danse sur un air compliqué et triste.

LA PRINCESSE : Je ne l'aime pas. Elle danse mal. Elle a de vilains yeux.

LE PRINCE, *à la petite Sirène :* Assez! Assez! Va-t'en! *(La petite Sirène se retire.)* ... Qu'à cela ne tienne, Princesse : nous la descendrons à terre à la première escale.

LA PRINCESSE : Je ne l'aime pas. Prince, qu'avons-nous besoin de danseuses? Je vous apprendrai moi-même des danses norvégiennes.

LE PRINCE : O délice! Musiciens!

Il fait un signe.

LA PRINCESSE : Non, Prince, pas ce soir! Songez que je viens de quitter mon bon père!

Elle tire son mouchoir.

LE PRINCE : Ma bien-aimée, ne regrettez pas votre enfance!... Je me charge de vous en restituer une autre, plus riche, plus grande, à votre taille de femme... Nous chasserons dans les estuaires la sarcelle et le canard sauvage; nous foulerons sous les sabots de nos chevaux les primevères; nous laisserons l'hiver sur la neige nos sillages parallèles, Anges rapides, déployant au vent l'aile de nos manteaux... Ah, tous ces lieux où j'errais sans savoir pourquoi, je vais les revoir guidé par un esprit céleste, comme Tobie par son Séraphin!... Et quand nous serons vieux, bien-aimée, assis au coin de la cheminée royale, nous regarderons les jours de notre passé un à un, comme une collection de pierres précieuses... Et quand je mourrai, laissant des fils plus beaux que moi et des filles qui vous ressembleront, vous m'enlacerez de vos bras blancs; la mort près de vous ne sera qu'un bon somme jusqu'au matin de la résurrection... Mais quoi, ma bien-aimée bâille? *(La Princesse s'endort.)*... La journée a été longue et fatigante pour ma Princesse. Et mon sot bavardage n'a pas été inutile, puisqu'il lui a inspiré le sommeil... Va, Comte Ulrich, et fais jouer en sourdine la plus douce des berceuses... Dors en paix, douceur du monde!... Je vais m'étendre à ses côtés pour rêver d'elle, et, plus tard, à l'heure où les étoiles propices poindront à l'Orient, l'astrologue du navire viendra donner le signal de la nuit de noces.

Il s'endort. On lève la voile d'artimon qui recouvre tout le fond de la scène comme le rideau d'une alcôve. Musique très douce. Le navire jusqu'à la fin, imprégné d'un mouvement très lent, sera comme bercé.

La petite Sirène reparaît sur le pont désert, tenant un couteau. Sa mimique exprime la rancune, la haine, l'hésitation, la douleur. Le Prince remue dans son sommeil et passe le bras autour du cou de la Princesse.

LE PRINCE : Ma joie!... Mon âme!...

La petite Sirène fait un pas en avant. Soudain, le bruit grandissant de la mer se transforme en voix de Sirènes.

LES SIRÈNES : Tue! Tue! Tue!... Tue cet homme au cœur de pierre et cette femme au cœur de plâtre! Enfonce ce couteau dans les affreux poumons qui leur tiennent lieu de branchies! Qu'as-tu à faire avec cette race de vers de terre? Il t'a trahie, venge-toi!... Il a fait pis que te trahir : il t'a dédaignée, venge-toi!... Il a fait pis que te dédaigner : il t'a méconnue, venge-toi!... Reviens à nous, notre sœur, perle des mers!

Privé de toi, l'Océan se lamente, et les saumons sont tristes, et les coraux sont moins roses... Renonce à ces jambes maladroites, ridicules outils terrestres, inutiles aux Sirènes chevaucheuses de vagues!... Tue! Tue! Tue... Laisse couler sur tes pieds obscènes ce jus chaud qu'ils appellent leur sang! Et le charme s'accomplira; des écailles naîtront sur tes cuisses; des nageoires perceront tes talons de femme! Tu retrouveras ta queue luisante, pareille aux volutes des vagues! Vite! L'heure magique approche! Sirius palpite au bord du ciel!... Tue! Lave tes pieds du sale sang de leur cœur! Traîne-toi le long des planches sur ta queue visqueuse!... Jette-toi dans la mer qui te noierait sous ta forme de femme, mais qui recevra avec joie, sur sa poitrine verte, la Sirène retrouvée!... Viens nous aider à pousser sur un écueil ce navire où tu as souffert et dont il ne restera qu'une épave, jouet des Tritons enfants!...

Viens! Tu retrouveras ton chant qui séduit, ta chanson qui tue!... Tu as goûté l'amour des hommes; tu les connais trop pour les plaindre!... Notre vie immortelle se passera désormais à tendre des pièges aux nautoniers, ou à tirer par les pieds, vers les grands fonds, ces monstres qui tuent les bêtes de l'abîme...! Sœur des phoques, des poissons volants et des baleines polaires, tue, tue, tue!... Venge l'honneur des vagues!

La petite Sirène fait un pas en avant.

Soudain, plus haut que les voiles, les agrès, les mâts, dominant la voix des Sirènes, monte le chant aigu des Oiseaux-Anges.

LES OISEAUX-ANGES : Viens! Viens! Viens!... Oublie! Oublie!... Oublie ces créatures pesantes, machines de chair privées d'ailes! Jette au rebut ces poumons étroits, qui n'aspirent jamais qu'une toute petite partie du ciel!... Tu as renoncé à la substance des abîmes, au corps visqueux des profondeurs!... Renonce aussi à ta substance terrestre, à ce corps de femme prisonnier du pont d'un navire, captif de toutes les pesanteurs!...

Viens! Viens! Viens!... Jette aux vagues ta forme de femme!... Ton âme montera vers nous, libre mouette rasant la mer! Trop pur pour la mort, trop haut pour l'amour, cri ailé, cœur éternel, vole avec nous par-delà l'écume, par-delà l'espace! Dans la tempête! Dans le soleil!... Viens! Viens! Dédaigne!... Viens! Viens! Oublie! Viens! Viens!

La petite Sirène laisse tomber son couteau. Elle tend les bras, entourée par les Oiseaux-Anges.

Le Dialogue dans le Marécage

PIÈCE EN UN ACTE

1930

NOTE SUR « LE DIALOGUE DANS LE MARÉCAGE »

La petite pièce qui suit fut écrite au plus tard en 1931, peut-être même dès 1929. Elle fut publiée en 1932 dans *La Revue de France*, puis reposa jusqu'à ce jour dans mes cartons. Elle s'inspire d'un fait divers du Moyen Age italien, l'histoire d'une patricienne siennoise, Pia Toloméi, reléguée dans un malsain château de la Maremme par un mari jaloux qui l'y laissa mourir. Cette pathétique anecdote, bien entendu controuvée, nous est connue par les commentaires dont s'entourent quatre vers assez cryptiques que lui a consacrés Dante dans le chant V de son *Purgatoire :*

Ricorditi di me, che son' la Pia.
Siena mi fe', mi difece Maremma.
Salsi colui che innellata, pria
Di sposando, m'avea con la sua gemma.

« Souviens-toi de moi, qui suis la Pia. Sienne me fit, et me défit la Maremme. Il le sait, celui qui, lors des accordailles, me mit au doigt son anneau de gemmes. »

Quand je relis aujourd'hui ces quelques pages, j'y retrouve, certes, un peu de la sensualité partout infuse de D'Annunzio, et, surtout, de l'émotion poignante et comme balbutiée de Maeterlinck, que j'avais aimées dans l'adolescence, et dont certains échos traversent ce petit drame au décor italien et légendaire. J'y discerne aussi certaines caractéristiques de sentiment et de pensée qui marquent un autre ouvrage, de forme et de contenu bien différents, que j'écrivis vers la même époque, *Alexis ou le Traité du vain Combat*. Ce style tremblé, ces tâtonnantes prises de conscience presque voluptueusement ralenties par d'infinis scrupules, ce besoin de lucidité qui ne se sépare pas du besoin de perfection morale, aiguisés et contrôlés dans *Alexis* par les litotes de la forme épistolaire et par le récit d'une expérience charnelle moins admise à l'époque que celle de la jalousie conjugale, se retrouvent presque poussés à bout dans ce dialogue dramatique, mon premier ouvrage du genre. Enfin, et comme si souvent dans les œuvres d'un jeune écrivain, il faut tenir compte, dans cette petite pièce presque trop savamment bouclée sur elle-même, du désir de moduler avec une virtuosité ingénue les divers aspects d'une situation donnée, de ne rien omettre, par exemple, des contradictions passionnées de Sire Laurent, ni des glissements perpétuels, chez Pia, entre la vie dite vécue et la vie dite rêvée. Le thème psychologique finit de la sorte par être traité comme un thème musical aurait pu l'être.

Ayant de tout temps beaucoup lu les classiques de l'Extrême-Orient, il est probable que je connaissais déjà les *Nô* à l'époque où j'écrivis cet acte. La première traduction par laquelle je les abordai fut en tout cas celle de Steinilber-Oberlin et de Kuni-Matsuo, parue en 1929, donc vers la même date. Il est certain, de toute façon, que l'idée d'imiter consciemment un *Nô* ne me vint pas. Mais si, comme l'indique la formule concise de Claudel, « un drame est quelque chose qui arrive, un *Nô* est quelqu'un qui arrive », *Le Dialogue dans le Marécage* est un *Nô* dont Sire Laurent serait le *Waki*, c'est-à-dire le pèlerin halluciné, et Pia le *Shité*, c'est-à-dire le fantôme. Tout se passe comme si le voyageur obsédé accompagné de son acolyte, son *Tsuré*, moine franciscain ici, qui serait là-bas un moine bouddhiste, avait réveillé dans ce marécage italien les spectres de son passé qui se dissiperont après son départ. Sire Laurent s'en va sans savoir si sa femme est oui ou non folle; il ne lui arrive pas de se demander si elle est oui ou non vivante, mais c'est pourtant l'impression fantomale qui finalement prédomine. Que l'interlocutrice de Sire Laurent soit une ombre tout court ou une ombre encore revêtue de chair, que cette rencontre se passe dans le cerveau d'un mari jaloux ou dans la cour d'une maison en ruine n'est au fond que d'une relative importance, et de cette vérité Frère Candide est à peine moins averti que ne le serait un moine en robe jaune. Toutefois, ce n'est pas tant, comme dans les *Nô*, l'impermanence des choses humaines que leur incertitude que je m'efforçais de présenter dans cette petite pièce. A ce dernier point de vue, cet exercice en poésie dramatique ouvre une veine qui persiste, secondairement, dans d'autres de mes livres. Qu'il s'agisse d'incertitude sur l'identité de la personne, d'un changement de nom, d'un travesti, ou d'un brouillard d'opinion nous cachant le véritable aspect d'un être, ses sentiments, ou sa position par rapport à nous, j'aurai sans cesse essayé de montrer que tout est autre que nous ne le pensons, vérité banale, que ne conteste personne, mais dont personne ne tient compte, et qui nous transforme dès que nous nous sommes pénétrés d'elle.

Psychologiquement parlant, *Le Dialogue dans le Marécage*, comme *Sixtine*, autre bref ouvrage écrit dans la même clef durant ces années-là, et où je tentais d'évoquer en quelques pages le vieux Michel-Ange, est avant tout un portrait de vieillard ou du moins d'homme qui a vieilli; c'est, je crois bien, le premier de tous ceux que j'allais peindre, et dont la longue série, peut-être pas encore tout à fait close, va de Sire Laurent à Clément Roux et au Prieur des Cordeliers. Pour cette raison et pour quelques autres, sur lesquelles je ne m'étendrai pas, ce petit drame m'a paru valoir de reparaître aujourd'hui, à une époque de ma vie où je suis plus capable qu'autrefois de juger du mérite d'une description de la vieillesse, ou du moins de ses approches. Le présent texte reste celui qui fut publié en 1932 dans *La Revue de France*, sauf pour quelques corrections de pur style.

Décembre 1969.

PERSONNAGES

SIRE LAURENT.

FRÈRE CANDIDE.

LA PIA.

DEUX VIEILLES SERVANTES.

La scène se passe dans la cour d'un vieux manoir délabré, près de Sienne, dans la région des marécages, au début d'un après-midi d'été.

SCÈNE I

SIRE LAURENT, FRÈRE CANDIDE

SIRE LAURENT : Frère Candide, êtes-vous sûr que nous ne nous soyons pas trompés de route?

FRÈRE CANDIDE : Je ne le pense pas, Monseigneur. Mais on n'est jamais sûr de ne pas s'être trompé de route.

SIRE LAURENT : Je n'avais jamais fait cette route... Je n'avais jamais vu ce domaine. Et je me méprends peut-être... Ce n'est peut-être pas celui où je l'ai enfermée il y a plus de dix ans... Tout à l'heure, j'ai tiré trois fois sur la corde de la cloche. A la troisième fois, une très vieille femme (et ce doit être l'intendante) a passé la tête à une fenêtre et m'a fait signe. Mais personne ne vient.

FRÈRE CANDIDE : Il est midi, Sire Laurent. Les gens dorment. Ils viendront quand ils auront fini leur sieste. Et vous avez grand besoin de vous reposer en attendant à l'ombre du mur du jardin.

SIRE LAURENT : Ils dorment... Elle dort quelque part dans une chambre haute... Si elle vit encore... Mais je ne suis pas sûr que ce soit bien cette maison... Je sais qu'il y a des douves, comme ici, qui communiquent avec des étangs d'eaux mortes... Mais l'air n'a pas pu être aussi mauvais autrefois qu'on le dit aujourd'hui... Mon père était né ici. Il y avait grandi; il y avait pris femme pour la première fois; il y avait déjoué son premier ennemi... Il y retournait souvent, tout seul, comme pour s'entretenir avec soi-même au temps de sa jeunesse. Mais il n'a jamais permis que je l'y accompagnasse... Quand j'y pense, il ne m'a jamais permis de l'accompagner nulle part... Mon père ne m'a pas aimé.

FRÈRE CANDIDE : Ne pensez plus, Sire Laurent, aux péchés de votre père.

SIRE LAURENT : C'est aux miens que je dois penser, oui. Mais c'est toujours notre faute, si nous ne sommes pas plus aimés.

FRÈRE CANDIDE : En disant ceci, vous ne pensez plus à votre père.

SIRE LAURENT : Il faut savoir que tous, dans notre famille, nous sommes durs envers nous-mêmes. Mon père et moi, nous ne nous sommes jamais rien pardonné. Nous nous sommes usés à appliquer certaines règles, de sorte que nous n'avons pas eu le temps de nous demander à quelles fins... A être dur envers soi-même, on le devient envers autrui : on finit par oublier que de jeunes cœurs sont fragiles. J'aurais dû me souvenir que cette femme avait dix-sept ans... Avez-vous eu dix-sept ans, frère Candide?

FRÈRE CANDIDE : Il n'y a pas longtemps, Monseigneur. Car je suis encore très jeune. Plaise à Dieu que je vive, et que je m'instruise par la vie.

SIRE LAURENT : Je n'ai jamais eu dix-sept ans. Quand j'avais dix-sept ans, j'étais à l'université de Bologne où j'étudiais le droit romain. Puis, ont eu lieu des guerres : j'ai brûlé des villages dont je ne savais pas le nom et servi des princes dont je ne savais pas les desseins. Lorsque je suis revenu, mon père, qui vieillissait, m'a chargé de l'exploitation des domaines : il y avait le blé; il y avait la vigne. Ensuite, Sienne m'a traité exactement comme mon père; elle s'est déchargée sur moi du soin de gouverner. J'ai vécu pour les autres, ou du moins occupé des autres. On dit que le soir, en été, les jeunes gens vont se promener hors de la ville, avec au chapeau des fleurs. Moi, je n'ai jamais porté de fleurs... Jamais, quand j'y pense, je n'avais vu sourire une femme, depuis le temps où ma mère me souriait, mais, d'elle, je ne me souviens presque plus. Je me disais : il faut se méfier de leur sourire. Et quand, moi-même, j'ai cherché femme...

FRÈRE CANDIDE : Personne ne vous blâme, Monseigneur.

SIRE LAURENT : ... Pourtant, je ne crois pas qu'aucun désir sensuel me poussait à la choisir si jeune. Sans doute, on n'est jamais sûr : des choses inavouables peuvent en nous se satisfaire à notre insu. Mais alors on n'est pas coupable : on ne peut pas répondre de ce que Dieu nous tient caché. Puis, je pense qu'on simplifie nos fautes en parlant toujours du désir, comme si tout notre corps ne comportait qu'un seul organe et notre instinct qu'une seule pente. Je sais que le désir est terrible, mais d'autres choses sont plus terribles. Par exemple, l'orgueil, qui est le crime des purs. Je l'ai choisie si jeune pour qu'elle fût irréprochable; je me croyais digne de posséder une femme chaste... Aussi, afin qu'elle fût docile. Je me jugeais assez sage pour pouvoir diriger sa vie; je la voyais, dans ma maison, sous la lampe, pareille à ces femmes des tableaux d'autel qui tiennent dans les bras un enfant... Pourtant, je me méfiais de sa jeunesse. Moi, qui jamais ne fus jeune, je ne pouvais voir dans sa jeunesse qu'une imperfection, ou tout au moins un danger. J'ai compris tout de suite, près d'elle, que sa jeunesse n'était pas seulement l'absence de passé, une page blanche où je pouvais soigneusement tracer des lignes droites, toutes parallèles à mon honneur. C'était une surabondance d'avenir, un vide que, seule, allait combler toute la vie. C'était comme une corbeille qu'on devait remplir de fruits, comme deux mains tendues vers tout l'or du monde, et qui rejetaient mon aumône. C'est alors que j'ai pris peur : pour la sauver de sa jeunesse, je l'ai entourée de solitude. Je ne comprenais pas que la solitude à son âge ne pouvait être que l'attente. L'attente du péché, frère Candide.

FRÈRE CANDIDE : Ne pensez plus, Sire Laurent, aux péchés de votre femme.

SIRE LAURENT : Plus tard, quand, pour la punir, j'ai fait à jamais la solitude autour d'elle, peut-être n'ai-je encore réussi qu'à l'entourer de cette attente à rebours qui consiste à regretter. Peut-être n'est-ce pas dans la repentance, mais dans le regret, que j'ai réussi à l'enfermer. Ah, je ne dois pas penser à cela : je recommencerais à la haïr.

FRÈRE CANDIDE : Ne pensez, Sire Laurent, qu'à votre propre repentance.

SIRE LAURENT : Cessez, frère Candide, de me parler de mon devoir. A se trouver toujours sur vos lèvres, il finira par me paraître étranger... Dieu ne m'a pas aidé. Je sais que je ne méritais pas son aide. Pourtant, des débauchés ont des femmes pareilles à l'eau pure qui désaltère après l'ivresse, et des dissipateurs trouvent en elles un trésor qu'ils ne pourront dilapider. Dieu n'aide jamais ceux qui s'efforcent d'être justes; il les éprouve; ou peut-être veut-il se réserver la justice. J'aurais pu rencontrer une femme dont l'âme eût été comme une lampe qui éclaire tout autour d'elle, comme une épaule où la main peut s'appuyer. Elle m'eût aidé à porter le fardeau du bien que je voulais faire, car le bien, je le sais maintenant, pèse parfois plus que mille péchés. Mais cette femme n'avait pas d'âme.

FRÈRE CANDIDE : Monseigneur, la plupart des femmes ont une âme que personne n'a encouragée.

SIRE LAURENT : Ah, vous ne connaissez pas les femmes... Elles se confessent à vous, et trouvent peut-être, en vous avouant leurs fautes, un secret plaisir à se montrer à vous toutes nues... Mais vous ne les connaissez pas, car vous ne leur avez rien demandé. On connaît celles qu'on a suppliées, celles dont on a dépendu... Et vous n'en suppliez aucune, sauf une seule qui Est sans tache.

FRÈRE CANDIDE : Je crois connaître les femmes. Dans mon village, les jeunes filles à la fontaine parlent d'amour comme s'il n'y avait rien d'autre au monde. Et les aïeules se chauffent au soleil qui est leur dernier ami. Depuis les origines, elles ont fait cuire la nourriture, lavé le linge toujours souillé, porté le poids de l'enfant et le poids de l'amour. Et cependant, elles sont aussi jeunes que l'aurore. Elles aiment; quand l'amour cesse, elles oublient; si elles n'oublient pas, elles meurent, et c'est aussi très simple. Tous les vivants de ce monde, à commencer par Dieu, ont reposé dans leurs ténèbres, sous la chaude étoile de leur cœur. Elles ne pensent pas; elles aiment; quand elles haïssent, c'est qu'elles aiment quelqu'un d'autre. Elles ne doutent pas; les plus pauvres allaitent leur enfant comme si vivre en valait la peine. Tout est fondé sur leur patience comme sur le travail des pauvres. Elles ne font pas, entre le bien et le mal, les mêmes différences que nous; mais Dieu peut-être n'en fait pas non plus. Je le suppose, puisqu'il se tait. Elles parlent, mais leurs paroles sont si légères qu'elles ne troublent pas nos silences. Et toutes, même les pires, elles sont souvent voisines de Dieu.

SIRE LAURENT : Dire qu'elle est ici depuis douze ans... Dire que je lui ai fait faire cette route à pied, comme une voleuse. Et c'en était vraiment une : elle m'avait volé ma confiance en sa fidélité. Une route affreuse... Une route au soleil... Aujourd'hui, tout le long de cette route, je me disais : elle est morte peut-être. Peut-être ne la reverrai-je pas. Elle sera morte pour se venger.

FRÈRE CANDIDE : Si elle est morte, Monseigneur, vous vous expliquerez ensemble un jour devant Dieu.

SIRE LAURENT : Si elle est morte, il me semble que je ne pourrai pas mourir. Et je voudrais mourir bientôt, dès que j'aurai tout mis en ordre. Vous le voyez : on ne change pas; j'amende ma vie comme j'ai jadis tâché d'améliorer ces pauvres terres... Je suis presque sûr de sa mort. Il n'y avait personne sur la route que je pouvais interroger. Et cette vieille qui m'a fait signe n'a pas reparu... En entrant dans la cour, j'ai interpellé ce paysan tout cassé qui est sans doute le jardinier. Il était sourd, je pense, puisqu'il n'a rien répondu.

FRÈRE CANDIDE : Il est là-bas. Il émonde des rosiers.

SIRE LAURENT : On m'avait bien dit qu'il y avait encore des rosiers. J'avais défendu qu'il y en eût. Je les avais fait arracher... (A quoi bon des roses dans un marécage?) Ils ont repoussé, ou bien on ne m'a pas obéi. Vous ne savez peut-être pas que c'est dans la roseraie, chez nous, que tout a eu lieu... Il a eu les roses pour complices... Et c'est pourquoi je ne pouvais pas permettre... Je ne peux pas souffrir les roses.

FRÈRE CANDIDE : Il ne faut pas mutiler Dieu dans ses roses. Priez, Monseigneur.

SIRE LAURENT : Pourquoi prier? Parce que la cloche sonne? Elle sonne sans cesse. Le vent... Ou peut-être toutes les heures, ici, sont-elles mélangées comme le marécage et la terre, comme les souvenirs dans ma mémoire... Mais je ne savais pas que la route était si longue... Non, je ne veux pas prier; je veux attendre, et ceux qui prient n'attendent plus.

FRÈRE CANDIDE : J'aperçois une femme.

SIRE LAURENT : Ah...

FRÈRE CANDIDE : Ne craignez rien, Monseigneur. Ce n'est qu'une servante. Une autre servante l'accompagne. Toutes deux sont vieilles.

SIRE LAURENT : Non, ne leur demandez rien. J'ai peur.

SCÈNE II

SIRE LAURENT, FRÈRE CANDIDE, LES DEUX SERVANTES

FRÈRE CANDIDE : Femmes, votre maîtresse descendra-t-elle? Mon compagnon est malade.

LA PREMIÈRE SERVANTE : Qu'est-ce qu'il dit?

L'AUTRE SERVANTE : Ce sont des vagabonds... Ils demandent quand la maîtresse descendra.

SIRE LAURENT : Elles ne me reconnaissent pas... J'ai vieilli.

LA PREMIÈRE SERVANTE : C'est l'heure de midi. La maîtresse dort. Elle descendra tout à l'heure fraîche comme une rose.

L'AUTRE SERVANTE : La maîtresse dort... Et elle sourit quand elle dort, parce qu'elle fait de beaux rêves.

SIRE LAURENT : Vous les entendez, Frère Candide?... Et moi, qui depuis si longtemps n'ai pu dormir.

FRÈRE CANDIDE : Patience, Monseigneur. Nous dormirons tous un jour.

SIRE LAURENT : Et quand elle ne dort pas, que fait-elle?

LA PREMIÈRE SERVANTE : Elle s'habille. Elle a une robe grise qu'elle met les jours de pluie et d'hiver, et pour les beaux jours une robe d'or. Et elle se mire pour voir ses tresses briller comme l'or de sa robe.

SIRE LAURENT : Elle se mire? Jadis, à se mirer, elle passait des journées entières. Elle bougeait devant son miroir comme une fleur au bord d'une pièce d'eau. Mais il n'est pas possible qu'elle ait passé douze ans à s'admirer dans son miroir... Il n'est pas possible qu'elle ne pense jamais à Dieu.

LA PREMIÈRE SERVANTE : Elle pense à Dieu. A l'Angélus, elle descend dans la cour, et distribue du pain aux pauvres qui passent.

SIRE LAURENT : Aux pauvres qui passent? Passe-t-il ici tant de pauvres? Tant de jeunes hommes pauvres? Dites-moi : ceux qui mendient le long des routes sont souvent des jeunes hommes, des apprentis sans ouvrage, et quelques-uns sont très beaux.

L'AUTRE SERVANTE : Elle donne du pain aux jeunes hommes pauvres, et ceux-ci la remercient d'être belle.

SIRE LAURENT : Mais elle ne pleure pas? Elle n'est jamais triste?

LA PREMIÈRE SERVANTE : Pourquoi serait-elle triste, ma fleur? As-tu jamais vu pleurer une rose?

SIRE LAURENT : Mais elle n'est pas née ici, dans ce désert. L'air lui-même y est malade. Moi, qui ne fais que passer, il me semble que l'air m'empoisonne.

LA PREMIÈRE SERVANTE : Elle est née dans une ville toute claire où c'est toujours Pâques fleuries. Et toutes les femmes y sont belles. Moi aussi, étranger, je suis née à Sienne, bien qu'il y ait longtemps.

SIRE LAURENT : Mais elle est seule. Voici douze ans qu'elle est seule. Des gens qui m'ont renseigné me l'ont dit. Elle est seule au monde...

LA PREMIÈRE SERVANTE : Je ne sais pas s'il y a douze ans. On ne compte plus les années, à notre âge, quand chaque automne nous rapproche du cimetière.

L'AUTRE SERVANTE : On ne compte plus les années, à notre âge, quand le printemps ne fait plus penser à l'amour.

LA PREMIÈRE SERVANTE : Étranger, je vois ce que tu veux. Tu veux que nous te racontions notre histoire, comme si tu en valais la peine. Mais nous sommes des servantes discrètes, nous autres. Nous ne te dirons pas comment notre jeune dame fut enfermée ici par un vieux mari qu'il lui est doux de ne plus voir. C'était un homme méfiant, comprends-tu, et alors il s'imaginait des choses...

L'AUTRE SERVANTE : C'était un homme dur. Depuis qu'il la gouverne, notre ville rose est devenue une ville rouge. Dieu, en le créant, avait oublié de lui donner un cœur. Mais peut-être est-il mort, car les méchants même y passent.

LA PREMIÈRE SERVANTE : Peut-être est-il mort, et Dieu n'a pas eu son âme.

SIRE LAURENT : Ce n'était pas un méchant homme. Vous avez raison : il est mort. (Ah, moi qui ne voulais plus mentir !) J'ai vu sa fin, moi qui vous parle. De tous ses amis, j'étais sans doute le plus fidèle; j'étais sûrement son seul ami. Son cœur n'était pas dur : s'il l'a punie, cette femme, c'est qu'il croyait le châtiment, après tout, moins insultant que le pardon. Il a beaucoup souffert aussi. Ce n'était peut-être qu'un pauvre homme.

LA PREMIÈRE SERVANTE : Ce n'était pas un pauvre homme. Ce n'était pas un vagabond comme toi. C'était un seigneur.

SIRE LAURENT : Ce n'était pas un seigneur. Il n'avait aucun bien dont on ne pût le déposséder. Son cœur était celui d'un pauvre.

LA PREMIÈRE SERVANTE : Tu es malade, étranger. Tu as la fièvre. Car je ne comprends pas ce que tu dis. Tu ne connais pas l'homme dont tu parles. Ce n'était pas ton ami, car tu dis que c'était un pauvre homme; ce n'était pas ton ennemi, car tu ne te plains pas qu'il t'ait offensé.

SIRE LAURENT : Je suis malade. Mais je ne veux pas qu'on dise de cet homme que Dieu ne lui avait pas donné de cœur, lui que son cœur fit tant souffrir. Il le fait encore souffrir. Je ne l'excuse pas, cet homme : je sais que c'est un grand pécheur. Mais, même envers lui, je n'ai pas le droit d'être perfide; je n'ai pas le droit d'être plus dur envers lui que je ne le serais pour tout autre.

FRÈRE CANDIDE : Taisez-vous, Monseigneur. Après tout, ces femmes ont raison : il n'est pas sûr que vous ayez connu cet homme.

LES SERVANTES : Voici notre dame.

SCÈNE III

SIRE LAURENT, FRÈRE CANDIDE,
LES DEUX SERVANTES, PIA

PIA : Messieurs... Ce sont des mendiants... Où est le sac aux aumônes?

LA PREMIÈRE SERVANTE : Ce ne sont pas des mendiants; ils n'accourent pas vers vous; ils ne vous disent pas que vous êtes belle.

PIA : Pas même des mendiants d'amour? Alors ce sont des prêtres, qui ne regardent pas les femmes de peur de les préférer à Dieu.

L'AUTRE SERVANTE : Le vieux est peut-être un prêtre, car nous ne comprenons pas ce qu'il dit.

LA PREMIÈRE SERVANTE : Et l'autre, le jeune, est peut-être un de ces faux moines qui mettent un froc pour courir les grand-routes et séduire les filles.

L'AUTRE SERVANTE : Si le jeune est un vrai moine, prions-le qu'il nous bénisse. J'ai besoin d'être bénie pour tous les péchés que je commets.

FRÈRE CANDIDE : Mère, vous êtes vieille; vous vivez dans ce désert envahi par le marécage; vous avez consenti à tout laisser pour prendre soin d'une jeune femme. Quels sont vos péchés?

L'AUTRE SERVANTE : J'ai besoin d'être bénie pour toutes les bonnes actions que je fais par peur de l'Enfer.

SIRE LAURENT : Pourquoi donc fallait-il les faire, vieille servante?

FRÈRE CANDIDE : Par amour.

SIRE LAURENT : Ah! Pas ce mot! Pas ce mot obscène qui cache toujours l'amour de nous-mêmes. Ne me dites pas que peut-être je suis venu ici par amour, car alors ce serait un péché.

LA PREMIÈRE SERVANTE : Ils se querellent?... Ce sont sûrement des mendiants. Je vais les conduire à la cuisine.

PIA : Non... Non... Il faut être prudent avec les mendiants... Les mendiants savent beaucoup de choses... Ils sont comme Dieu qui attend toujours aux portes. Il faut que je parle doucement à ces mendiants pour qu'ils ne disent pas de mal de nous quand ils retourneront à Sienne.

SIRE LAURENT : Quel mal pourraient-ils dire de vous, jeune femme?

PIA : Il ne faut pas qu'on sache que je suis heureuse ici.

FRÈRE CANDIDE : Jeune femme, pourquoi vous cacher d'être heureuse? Vous cachez-vous d'être belle? Être heureuse, c'est peut-être louer Dieu.

SIRE LAURENT : Pia...

LES SERVANTES : Prenez garde, Madame : il sait votre nom. C'est un espion de notre maître.

SIRE LAURENT : Ma Pia...

LES SERVANTES : Jésus! Madame, c'est notre maître.

SIRE LAURENT : Ma Pia... Je n'ai pas compris... Vous dites que vous êtes heureuse... Si cela est, vous êtes une sainte. Moi, je ne suis pas heureux, mais je pense que les saints doivent l'être, et sans doute est-ce pour cela que j'ai résolu d'être un saint. Sans doute y a-t-il un peu d'égoïsme dans mon désir d'être bon, car être bon est plus facile que ne pas l'être. Seulement, les gens ne le savent pas... Sans doute ne m'agenouillé-je comme je le fais en ce moment devant vous, que parce que je suis las et qu'il est reposant d'être humble... J'ai été dur pour vous, Pia. Je vous ai punie pour une faute d'un instant comme si cette faute avait toujours été vôtre, vôtre comme votre sang, vôtre comme votre cœur. Et peut-être, Pia, était-ce bien la vérité, mais je comprends maintenant que ce n'était pas à moi de vous punir. Je ne vous ai laissé que quelques vieilles servantes; je vous ai tout enlevé, jusqu'à votre chambrière favorite, cette Simone qui était belle et dont le nom de baptême vous eût fait penser à Simon. Je me souviens : elle avait les mêmes yeux que lui, comme le même protecteur au ciel. Je vous l'ai enlevée, parce que j'avais peur. Pour moi, cela eût été terrible, bien que je sache que d'autres hommes ne trouvent pas cela si terrible. Et je ne vous ai laissé que deux ou trois de vos robes, les plus vieilles, dans lesquelles vous avez maigri. Et je vous ai enlevé vos bijoux, mais vous avez toujours vos yeux. Et j'ai fait arracher les roses. Comme je vous ai enlevé les roses, je vous ai enlevé votre avenir, mais je n'ai pas pu vous enlever votre passé, le souvenir du soir où vous étiez nue sous les roses. Et puisque, cela, je n'ai pas pu vous l'enlever, c'est en vain que je vous ai volé tout le reste. Ma Pia, je vous demande pardon.

PIA : Ce n'est pas mon mari. C'est peut-être un fantôme. Et moi, qui ai si peur des fantômes.

SIRE LAURENT, *debout :* Votre mari est mort, je l'ai déjà dit à vos femmes. Je ne suis plus en vie. J'ai vendu tous mes biens, et vous savez qu'ils étaient vastes. J'ai quitté le pouvoir, dont je n'avais jamais été digne, peut-être parce que toute ma vie j'avais cru le mériter. Je me suis dépouillé de tout. J'essaie, en cet instant, de me dépouiller de moi-même... (Ah, cet orgueil qui renaît, ce terrible orgueil d'être humble!) Ce soir, je prendrai la route qui mène à la Portioncule d'Assise, où j'espère mourir sur la terre nue, sous l'habit d'un moine. J'espère là-bas me débarrasser de mon corps, et ainsi je serai de plus en plus nu.

LES SERVANTES, *s'agenouillant un instant à leur tour :* Priez pour nous, notre maître, au tombeau du Séraphique.

SIRE LAURENT : Pia, vous vous souvenez peut-être que j'essayais d'être un homme juste. On devrait, mon Dieu, avoir envers ceux qui marchent toute leur vie chargés de leurs devoirs pesants et durs autant d'indulgence qu'on en a envers ceux qui s'abandonnent. Je n'ai jamais hésité à prendre la voie la plus pénible; la plus pénible me semblait toujours la plus sûre. Mais on ne devrait jamais reprocher à un homme les contraintes qu'il s'impose : il est seul à savoir jusqu'où, libre, il pourrait glisser. Je vous jure, Pia, que la jalousie n'était pour rien dans ma vengeance. Je n'étais pas jaloux, et ce n'était pas une vengeance. Moi, qui ne voulais de vous qu'un héritier, je ne pouvais pas être comme ceux qui se torturent parce qu'ils savent tout le prix d'un corps. Pia, je n'étais qu'indigné. Si j'avais été jaloux, peut-être vous aurais-je moins punie, car j'aurais tremblé d'être injuste. Mais non : je vous ai détruite en toute sûreté de conscience. Des années, j'ai dormi tranquille. J'avais repoussé loin de moi votre image, comme on rejette une pièce d'or quand on s'aperçoit qu'elle est fausse. Vous m'aviez lésé, c'était tout. Mais un jour, dans la cour de l'église, à l'heure où les infirmes s'y rassemblent, j'ai rencontré une jeune femme...

FRÈRE CANDIDE : Ne trahissez pas les secrets de cette femme, Sire Laurent. Souvenez-vous qu'elle est aujourd'hui au Purgatoire ou au Ciel.

SIRE LAURENT : Elle ne vous ressemblait pas... Elle était plus belle... Du moins, je me suis davantage aperçu qu'elle était belle. Elle était plus savante aussi : elle savait lire. Mais j'y pense maintenant : ses yeux vous ressemblaient. Une femme qui s'abandonne à un homme qui n'est plus jeune, c'est toujours un peu comme si elle se prostituait par pitié. Elle s'est donnée à moi parce que j'étais triste. J'étais triste comme ceux qui vieillissent, et commencent à s'apercevoir que leur vie fut une dure vie... Mais, près d'elle, ma vie était riche... Nue, elle semblait vêtue de son âme comme d'autres femmes de leur chevelure. Et son sourire... Son sourire ne venait pas du dehors comme ce sourire distrait que le hasard apporte aux femmes. Il montait du tréfonds d'elle-même... Et pourtant, elle avait ses peines; elle a souffert comme vous, Pia. Les siens étaient mes ennemis et l'ont punie de m'avoir aimé... Ma Pia, je vous demande pardon de pleurer.

PIA : Je l'ai connue... C'était notre voisine : elle portait une robe blanche avec un petit mantelet brodé de perles.

SIRE LAURENT : Je ne me souviens pas de sa robe... Et j'ai tort de parler d'elle... Mais c'est peut-être pour parler d'elle que j'ai voulu vous revoir. Et ne pas parler des morts, c'est une manière d'accepter leur fin.

PIA : C'était une voisine... Mais je ne me rappelais pas qu'elle fût si belle.

SIRE LAURENT : Je ne crois pas qu'elle vous ait connue : elle ne m'en a jamais rien dit... Et c'est seulement après sa mort que j'ai commencé à penser à vous comme à quelqu'un qu'elle m'eût laissé... Pia, mes fautes m'ont instruit, à supposer que ce soient des fautes. Mais c'est une faute aussi que de n'en avoir pas commis, car, jusqu'alors, je ne savais pas... Ainsi, j'ai fini par comprendre que le cœur après tout n'est qu'un morceau du corps. Notre cœur est en nous, Pia, et Dieu, qui seul le pénètre, ne peut le voir que tel qu'il est, pareil à une éponge dans la mer tiède du sang... Notre cœur, notre cœur qui tremble... Et notre âme aussi est en nous; elle palpite et chante comme l'air dans notre gorge, infuse en cette chair que je croyais péché. Et l'on ne peut, dans l'amour, les séparer l'une de l'autre. On ne le peut, car le Créateur les a jointes. Je ne veux point dire par là que nous sommes tous innocents; Il nous jugera, mais c'est à Lui de nous juger. En tout cas, ce n'est pas à moi... C'est ainsi, Pia, que je me suis souvenu de vous en me souvenant de cette amante. Depuis sa mort, je n'arrive plus à bien vous distinguer l'une de l'autre, car une morte est aussi une prisonnière. Et il me semble maintenant que je vous punis pour ses fautes.

PIA : Oui... Oui... Mais je ne comprends pas quelles fautes.

SIRE LAURENT : Et c'est alors (que tout cela est étrange!) que j'ai commencé à me ressouvenir de Simon. J'ai pensé à Simon...

PIA : Je ne veux pas... J'ai peur... Il ne faut pas qu'il pense à Simon.

SIRE LAURENT : J'ai pensé à Simon comme j'aurais pensé à moi-même, si j'avais eu, comme lui, la chance d'une jeunesse ardente. À force d'y penser, il me semble presque que je l'ai vécue, cette jeunesse. J'ai pensé à lui près de vous comme à moi-même auprès de cette autre femme, mais à un moi plus libre, plus pur peut-être, à l'âge où l'on peut encore ne pas rougir d'être aimé... J'ai été dur envers Simon. J'ai été plus dur envers lui qu'envers vous, car il faut plus de force pour briser la vie d'un homme. Je l'ai fait chasser de la ville. J'ai essayé de le faire impliquer dans une affaire d'État. Et quand, l'autre jour, j'ai appris sa mort...

PIA : La mort de qui?

SIRE LAURENT : Quoi?... Vous ne saviez pas?

FRÈRE CANDIDE : Prenez garde, Monseigneur. Vous allez peut-être vous apercevoir qu'elle a cessé de l'aimer.

SIRE LAURENT : Vous ne saviez pas?... Mais alors, j'aurais dû vous le dire tout de suite, puisque c'est à vous de prier pour lui. Vous êtes, n'est-ce pas, une femme résignée... Vous pouvez tout entendre, Pia? Il est mort en France. Il y vivait depuis des années. Il s'y était marié. Il avait deux enfants. Ah! Quand j'ai su cela, je l'ai méprisé tout à coup... Je l'ai méprisé d'avoir cessé de vous aimer.

PIA : Simon marié?... Je ne vous crois pas... Il ne me l'a jamais dit.

SIRE LAURENT : Il ne vous l'a pas dit?... Il vous écrivait?

PIA : Pourquoi m'aurait-il écrit? N'a-t-il pas de lèvres? Ou croyez-vous que ses lèvres ne lui servent qu'à m'embrasser?

SIRE LAURENT : Ah! Vous l'avez revu!

LES DEUX SERVANTES : Dieu nous protège! Soyez prudente, Madame, même si c'est un saint.

SIRE LAURENT : Ils se sont revus... C'est la seule explication... C'est juste... Elle ne sait pas lire. Oh! Oh! Et moi qui faisais surveiller toutes les routes.

PIA : Je ne veux pas être prudente... J'en ai assez, de cet homme, et de son humilité. J'en ai assez, de ses mensonges. J'en ai assez, de son pardon. Simon ne m'a jamais parlé de ce mariage, et, même s'il ne m'en avait rien dit, je l'aurais su. Ah! Vous venez ici pour essayer de nous désunir... Mais je lui raconterai tout ceci, et nous en rirons ensemble.

SIRE LAURENT : Mais alors... Mais ce n'est pas possible... J'ai vu sa veuve.

PIA : Je suis vivante, n'est-ce pas? Je suis bien vivante. Serais-je vivante s'il était mort?

SIRE LAURENT : Mais il est mort... Il est mort d'une fièvre maligne.

PIA : Il n'est pas mort... Et il n'habite pas en France. La France est loin d'ici : c'est de l'autre côté du monde. Et il vient ici chaque mois... Il vient ici chaque semaine. Comment aurais-je fait pour vivre ici, pendant douze ans, s'il n'était pas venu chaque semaine? L'été, je l'attends dans le jardin, sous les arbres, et la nuit tombe sur nous comme un manteau sombre. L'hiver, je l'attends près du feu, et le reflet des flammes tombe sur nous comme un manteau rouge.

LA PREMIÈRE SERVANTE : Ne l'écoutez pas, Monseigneur. C'est le soleil. Elle délire à cause du soleil.

PIA : Ce n'est pas le soleil... Il n'y a pas de soleil aujourd'hui, puisque Simon n'est pas là.

L'AUTRE SERVANTE : Ne l'écoutez pas, Monseigneur. C'est la fièvre. Elle tremble de fièvre.

PIA : Ce n'est pas la fièvre... Je n'ai la fièvre que lorsque je l'attends.

SIRE LAURENT : C'est la fièvre, Pia, c'est la fièvre... J'avais oublié que les miasmes flottent ici avec l'odeur des eaux mortes. Je suis très coupable... Pardonnez-moi, mon Dieu, de l'avoir enfermée dans cette maison pleine de cauchemars, dans ce désert où la terre même semble damnée... C'est le délire, Pia, c'est le délire... Vous n'avez plus pour âme qu'un feu follet des marécages.

FRÈRE CANDIDE : Vous avez raison, Monseigneur. Ce n'est jamais que du délire.

PIA : Ce n'est pas du délire... Je ne délire qu'entre ses bras.

SIRE LAURENT : Mais c'est un fantôme... Pia, ce ne peut être qu'un fantôme... Frère Candide, Dieu permet-il aux fantômes de hanter les femmes?

PIA : Ce n'est pas un fantôme... Ont-ils des lèvres, vos fantômes, pour baiser les miennes? Ont-ils des mains, pour caresser? Un fantôme n'aurait pas faim des mets que je lui prépare; il ne mordrait pas au pain; il ne boirait pas du vin rouge. Ils ne rient pas, les fantômes. Des fantômes endormis, on n'entend pas battre le cœur.

FRÈRE CANDIDE : Laissez-la dire, Monseigneur. Ce sont toujours des fantômes.

SIRE LAURENT : Non. Non. Je commence à comprendre... Ce n'est pas un fantôme. N'essayez pas de me persuader cela, frère Candide : je ne suis pas encore tout à fait fou. C'est bien pis... C'est bien plus simple... C'est l'un de ces aventuriers qui traînent le long des routes, un impudent mendiant, ou peut-être un pâtre. Oui, ce doit être ce pâtre à qui, tout à l'heure, nous avons demandé à boire. Il vient peut-être de très loin... Elle en vaut la peine... Mais alors, Pia, ce n'est pas Simon... Vous avez trahi Simon.

PIA : Ce n'est pas Simon?... Je ne comprends pas. Est-ce qu'il y a quelqu'un d'autre au monde?

FRÈRE CANDIDE : Ne cherchez pas, Monseigneur. Pour elle ce sera toujours Simon.

SIRE LAURENT : Ah! Le cœur des femmes est donc offert à tous comme le corps des courtisanes... Et ces servantes... Ces vieilles servantes qui fermaient les yeux.

LA PREMIÈRE SERVANTE : Nous n'y pouvions rien, Monseigneur. A notre âge, on n'est plus bonne qu'à prier Dieu.

L'AUTRE SERVANTE : A notre âge, on n'est plus bonne qu'à somnoler, le soir, à l'heure où les jeunesses soupirent.

SIRE LAURENT : Et moi qui m'en voulais que cette prison fût trop dure... Elle aurait dû l'être plus... Toutes les portes, j'aurais dû les faire garder. Mais je n'y pensais pas... Je ne redoutais que cet amour. Mais alors, ce n'était même pas de l'amour : elle eût cédé à n'importe qui. Ah! Pia, Pia, j'étais venu plein de pardon... Je pouvais vous pardonner Simon; je m'étais habitué à cette faute, et puis, d'ailleurs, c'était passé. Mais pas cela... Mais pas cela... Dites-moi que ce n'est pas vrai, Pia, et je pourrai tout pardonner.

PIA : Vous m'auriez pardonné si vous m'aviez su malheureuse. Vous ne pardonnez pas au bonheur.

SIRE LAURENT : Mais ce n'est pas du bonheur... C'est ignoble... Pia, je ne vous demande aucun aveu. Il y aurait pour vous de l'infamie à être sincère. J'aime mieux croire que c'est du délire, qu'on a abusé de ce délire... Mais vous guérirez du délire. Nous allons partir ensemble. Je n'irai pas à Assise... Il ne convient pas que je me réfugie en Dieu tant que vous êtes encore vivante, et que vous avez besoin de mon aide. Nous retournerons à Sienne. Tout cela ne sera qu'un cauchemar oublié... Je vous achèterai d'autres robes... Vous serez très libre. Je ne me montrerai pas exigeant... Je rachèterai vos bijoux, que j'ai eu tort de vendre pour en distribuer l'argent aux pauvres. Et je vous rendrai cette Simone... Ah, ne me répondez pas, Pia; ne m'irritez pas; ou, de nouveau, je vais peut-être me ressembler.

PIA : Je ne veux pas retourner à Sienne. Je ne veux pas recommencer à vivre dans cette vieille maison noire... Je suis heureuse, ici... Je la connais, votre pitié... Ce n'est pas de la pitié. Vous avez envie que je remplace votre maîtresse morte... Vous vous êtes tout à coup aperçu que vous m'aimez.

FRÈRE CANDIDE : Ne l'écoutez pas, Monseigneur. Vous finiriez par la croire.

SIRE LAURENT : Vous avez raison, Pia, ce n'est que de l'amour. Je ne suis pas encore un saint. Je ne suis pas capable de bonté. Je ne serai peut-être jamais un saint... Mais peu importe, si vous consentez à revenir... Deux pécheurs qui s'aiment ne peuvent pas contrister Dieu. Je suis votre mari, n'est-ce pas? Vous ne pouvez pas rester ici. Si vous restez ici, votre corps mourra comme votre âme.

PIA : Je vais peut-être mourir. Je suis peut-être très

malade... Mais je ne tiens pas à vivre. Je ne tiens pas à vieillir. Quand je serai vieille, mon âme n'intéressera personne.

SIRE LAURENT : Nous l'emmènerons, n'est-ce pas, servantes? J'augmenterai vos gages.

LA PREMIÈRE SERVANTE : Ma foi, Monsieur, je ne tiens pas à revoir Sienne. Mon mari est mort; je suis trop vieille pour en trouver un autre, et mes enfants m'ont oubliée. Ici, j'ai ma part des quelques pêches que produit encore le verger, et c'est moi qui trais la chèvre. Elle me connaît, et me lèche la main.

L'AUTRE SERVANTE : Je ne tiens pas à revoir Sienne. Le dimanche, je change d'habits la petite Madone en grès qui se tient sous le porche; je lui taille des robes. Moi, dont les enfants sont tous morts, c'est comme si j'en avais un, qui serait aussi la Mère de Dieu. Le soir, je mets une petite veilleuse sous ses pieds, comme un ver luisant.

SIRE LAURENT : Soit, Pia... Vous resterez ici... Je ne veux forcer personne. Mais vous me garderez, n'est-ce pas? Je m'habituerai à cette odeur de marécage : on s'y fait, puisque vous ne vous en apercevez plus. Et si le sol est mou et qu'on s'y enlise, que m'importe?... Je suis si las des durs chemins de la terre ferme... N'est-ce pas, Pia, que vous me garderez parmi vos pauvres?

PIA : Vous voyez, servantes? Ce n'est pas mon mari... Je vous avais bien dit que ce n'était qu'un pauvre.

SIRE LAURENT : Elle rit... Empêchez-la de rire, frère Candide. Si elle rit, je ne pourrai pas m'empêcher de la frapper.

FRÈRE CANDIDE : Lâchez cette femme, Monseigneur... Elle n'est pas plus coupable que la première venue.

SIRE LAURENT : Regardez-la, frère Candide... Je me suis agenouillé devant cette femme impure... Cette femme de chair... Je lui ai demandé pardon d'avoir été juste envers elle, comme si, d'un homme tel que moi, on pouvait attendre autre chose que la justice, comme si toute la ville ne réclamait pas un exemple... C'est cela : la ville réclamait un exemple. Ah! Comme on en rira, dans Sienne... Elle a été heureuse, tout le temps, de ce misérable bonheur. Et moi, qui me torturais pour elle... Elle a été heureuse comme seuls les coupables peuvent l'être; les coupables sont les seuls qui s'imaginent être innocents... C'est à elle de me demander pardon. Demandez-moi pardon, Pia, avant que je vous envoie chez Dieu.

LES DEUX SERVANTES : Saint Antoine! Notre-Dame!... Ah, notre œillet... Oh! notre rose...

FRÈRE CANDIDE : Lâchez cette femme, Monseigneur. Elle n'est pas plus coupable que n'importe qui.

SIRE LAURENT : Calmez-vous, frère Candide... Et vous, servantes, ne fuyez pas : ce n'est pas la peine. Et ne faites pas semblant d'avoir peur, Pia... Je suis trop vieux... Je me rends ridicule. Je suis trop vieux pour la vengeance.

FRÈRE CANDIDE : Vêpres ont sonné, Monseigneur : il n'est que temps de partir, si nous voulons, cette nuit, faire halte au prochain couvent. Sous peu de jours, à l'aube, nous entrerons dans Assise, et le soleil se lèvera comme la Gloire du Stigmatisé.

SIRE LAURENT : Tout à l'heure... Dieu peut attendre... J'ai encore quelque chose à dire à cette femme.

FRÈRE CANDIDE : Venez, Monseigneur. Nous ferons route vers Assise, ce soir, au milieu du silence des plaines, et ce silence nous racontera Dieu.

SIRE LAURENT : Dieu m'a dupé, frère Candide... Dieu m'a fait prendre ma rancune pour de la justice, puis, ma faiblesse pour de la bonté. Vous êtes témoin qu'elles n'ont que faire de ma bonté. Allons-nous-en vers Assise, puisqu'il n'y a plus que Dieu qui veuille de moi.

PIA : Il chancelle... Ce n'est vraiment qu'un pauvre homme... J'aurais pitié de mon mari, si je savais qu'il était si pauvre.

SIRE LAURENT : Oh, frère Candide, nous ferons route vers Assise, péniblement, à travers la plaine, et tout, autour de nous, ne sera que solitude. Et ce soir, à l'heure où les marais sont roses, peut-être rencontrerons-nous un passant, un gardeur de buffles, un de ces garçons sauvages qui boivent à plat ventre dans la boue piétinée des flaques... Il se hâtera, car il saura qu'une femme l'attend.

FRÈRE CANDIDE : Venez, Monseigneur. Nous ferons route vers Assise, cette nuit, sous la bénédiction des étoiles, et leur fixité nous fera oublier ce qui passe.

SIRE LAURENT : Mais quoi... Mais alors... Toutes les femmes sont peut-être ainsi : elles meurent peut-être toutes damnées... Mais alors, celle que j'aimais... Il vaut peut-être mieux que celle que j'aimais soit morte.

FRÈRE CANDIDE : Venez, Monseigneur. Quand le matin poindra, nous pèlerinerons vers Assise, et le soleil levant nous fera oublier les morts.

SIRE LAURENT : Mais il faut pourtant que je leur dise... Ce château s'écroulera sur elles... Il est miné par le marécage... Il faut pourtant...

FRÈRE CANDIDE : Paix, Monseigneur. Il n'est pas probable que ces trois femmes aient encore longtemps à vivre. Leur vie est trop courte pour se préoccuper de leur avenir.

SIRE LAURENT : Je vous suis... Je vous suis... Mais, Pia, il faut que je vous demande...

PIA : Qu'est-ce qu'il demande?... Il a peut-être faim, ce mendiant. Servantes, il faudra lui donner du pain.

SIRE LAURENT : Je n'ai pas faim, Pia, je n'ai pas faim... Je vous supplie...

FRÈRE CANDIDE : Venez, Monseigneur. Nous irons ensemble à la recherche du pain des anges.

PIA : Il n'a pas faim?... Il est peut-être triste, ce mendiant... Il faudra lui donner du vin, ou bien une rose...

ŒUVRES DE MARGUERITE YOURCENAR

Romans et Nouvelles

ALEXIS OU LE TRAITÉ DU VAIN COMBAT – LE COUP DE GRÂCE (*Gallimard*, 1971).

DENIER DU RÊVE (*Gallimard*, 1971).

NOUVELLES ORIENTALES (*Gallimard*, 1963).

MÉMOIRES D'HADRIEN (édition illustrée, *Gallimard*, 1971 ; édition courante, *Gallimard*, 1974).

L'ŒUVRE AU NOIR (*Gallimard*, 1968).

ANNA, SOROR... (*Gallimard*, 1981).

COMME L'EAU QUI COULE (*Anna, soror... – Un homme obscur – Une belle matinée*) (*Gallimard*, 1982).

UN HOMME OBSCUR – UNE BELLE MATINÉE (*Gallimard*, 1985).

CONTE BLEU – LE PREMIER SOIR – MALÉFICE (*Gallimard*, 1993).

Essais et Mémoires

SOUS BÉNÉFICE D'INVENTAIRE (*Gallimard*, 1962 ; édition définitive, 1978).

LE LABYRINTHE DU MONDE, I : SOUVENIRS PIEUX (*Gallimard*, 1974).

LE LABYRINTHE DU MONDE, II : ARCHIVES DU NORD (*Gallimard*, 1977).

LE LABYRINTHE DU MONDE, III : QUOI ? L'ÉTERNITÉ (*Gallimard*, 1988).

MISHIMA OU LA VISION DU VIDE (*Gallimard*, 1981).

LE TEMPS, CE GRAND SCULPTEUR (*Gallimard*, 1983).

EN PÈLERIN ET EN ÉTRANGER (*Gallimard*, 1989).

LE TOUR DE LA PRISON (*Gallimard*, 1991).

SOURCES II (*Gallimard*, 1999).

★

DISCOURS DE RÉCEPTION DE MARGUERITE YOURCENAR à l'Académie Royale belge de Langue et de Littérature françaises, précédé du discours de bienvenue de CARLO BRONNE (*Gallimard*, 1971).

DISCOURS DE RÉCEPTION À L'ACADÉMIE FRANÇAISE DE Mme M. YOURCENAR et RÉPONSE DE M. J. D'ORMESSON (*Gallimard*, 1981).

Théâtre

THÉÂTRE I : RENDRE À CÉSAR – LA PETITE SIRÈNE – LE DIALOGUE DANS LE MARÉCAGE (*Gallimard*, 1971).

THÉÂTRE II : ÉLECTRE OU LA CHUTE DES MASQUES – LE MYSTÈRE D'ALCESTE – QUI N'A PAS SON MINOTAURE ? (*Gallimard*, 1971).

Poèmes et Poèmes en prose

FEUX (*Gallimard*, 1974).

LES CHARITÉS D'ALCIPPE, nouvelle édition (*Gallimard*, 1984).

Correspondance et Entretiens

LETTRES À SES AMIS ET QUELQUES AUTRES (*Gallimard*, 1995).

PORTRAIT D'UNE VOIX. Vingt-trois entretiens 1952-1987 (*Gallimard*, 2002).

Traductions

Virginia Woolf : LES VAGUES (*Stock*, 1937).

Henry James : CE QUE SAVAIT MAISIE (*Laffont*, 1947).

PRÉSENTATION CRITIQUE DE CONSTANTIN CAVAFY, suivie d'une traduction intégrale des POÈMES par M. Yourcenar et C. Dimaras (*Gallimard*, 1958).

FLEUVE PROFOND, SOMBRE RIVIÈRE, « Negro Spirituals », commentaires et traductions (*Gallimard*, 1964).

PRÉSENTATION CRITIQUE D'HORTENSE FLEXNER, suivie d'un choix de POÈMES (*Gallimard*, 1969).

LA COURONNE ET LA LYRE, présentation critique et traductions d'un choix de poètes grecs (*Gallimard*, 1979).

James Baldwin : LE COIN DES « AMEN » (*Gallimard*, 1983).

Yukio Mishima : CINQ NÔ MODERNES (*Gallimard*, 1984).

BLUES ET GOSPELS, textes traduits et présentés par Marguerite Yourcenar, images réunies par Jerry Wilson (*Gallimard*, 1984).

LA VOIX DES CHOSES, textes recueillis par Marguerite Yourcenar, photographies de Jerry Wilson (*Gallimard*, 1987).

Dans la « Bibliothèque de la Pléiade »

ŒUVRES ROMANESQUES : ALEXIS OU LE TRAITÉ DU VAIN COMBAT – LE COUP DE GRÂCE – DENIER DU RÊVE – MÉMOIRES D'HADRIEN – L'ŒUVRE AU NOIR – ANNA, SOROR... – UN HOMME OBSCUR – UNE BELLE MATINÉE – FEUX – NOUVELLES ORIENTALES – LA NOUVELLE EURYDICE (*Gallimard*, 1982).

ESSAIS ET MÉMOIRES : SOUS BÉNÉFICE D'INVENTAIRE – MISHIMA OU LA VISION DU VIDE – LE TEMPS, CE GRAND SCULPTEUR – EN PÈLERIN ET EN ÉTRANGER – LE TOUR DE LA PRISON – LE LABYRINTHE DU MONDE, I, II et III – PINDARE – LES SONGES ET LES SORTS – ARTICLES NON RECUEILLIS EN VOLUME (*Gallimard*, 1991).

Collection « Biblos »

SOUVENIRS PIEUX – ARCHIVES DU NORD – QUOI ? L'ÉTERNITÉ (LE LABYRINTHE DU MONDE, I, II et III) (*Gallimard*, 1990).

Collection « Folio »

ALEXIS OU LE TRAITÉ DU VAIN COMBAT, suivi de LE COUP DE GRÂCE, *n° 1041.*

MÉMOIRES D'HADRIEN suivi de CARNETS DE NOTES de « MÉMOIRES d'HADRIEN », *n° 921.*

L'ŒUVRE AU NOIR, *n° 798.*

LE LABYRINTHE DU MONDE

I. Souvenirs pieux, *n° 1165.*

II. Archives du Nord, *n° 1328.*

III. Quoi ? L'Éternité, *n° 2161.*

ANNA, SOROR..., *n° 2230.*

MISHIMA OU LA VISION DU VIDE, *n° 2497.*

CONTE BLEU – LE PREMIER SOIR – MALÉFICE, *n° 2838.*

UN HOMME OBSCUR – UNE BELLE MATINÉE, *n° 3075.*

LETTRES À SES AMIS ET QUELQUES AUTRES, *n° 2983.*

Collection « Folio essais »

SOUS BÉNÉFICE D'INVENTAIRE, *n° 110.*

LE TEMPS, CE GRAND SCULPTEUR, *n° 175.*

Collection « Foliothèque »

MÉMOIRES D'HADRIEN. Essai critique et dossier réalisés par Henriette Levillain, *n° 17.*

L'ŒUVRE AU NOIR. Essai critique et dossier réalisés par Anne-Yvonne Julien, *n° 26.*

QUOI ? L'ÉTERNITÉ. Essai critique et dossier réalisés par Simone Proust, *n° 94.*

Collection « L'Imaginaire »

NOUVELLES ORIENTALES, *n° 31.* Édition revue et augmentée.

DENIER DU RÊVE, *n° 100.* Version définitive.

FEUX. Poèmes en prose, *n° 294.*

Collection « Le Manteau d'Arlequin »

LE DIALOGUE DANS LE MARÉCAGE.

Collection « Poésie/Gallimard »

FLEUVE PROFOND, SOMBRE RIVIÈRE, « Negro Spirituals », commentaires et traductions de Marguerite Yourcenar.

PRÉSENTATION CRITIQUE DE CONSTANTIN CAVAFY, suivie d'une traduction intégrale des POÈMES par M. Yourcenar et C. Dimaras.

LA COURONNE ET LA LYRE. Anthologie de poésie grecque ancienne.

Collection « Enfantimages »

NOTRE DAME DES HIRONDELLES, avec des illustrations de Georges Lemoine.

Collections « Folio Cadet » et « Folio Junior »

COMMENT WANG-FÔ FUT SAUVÉ, texte abrégé par l'auteur, avec des illustrations de Georges Lemoine, *n° 178.*

UNE BELLE MATINÉE, *n°1258.*

« Albums Jeunesse »

LE CHEVAL NOIR À TÊTE BLANCHE, présentation et traduction de contes d'enfants indiens. Illustration collective.

Reproduit et achevé d'imprimer
par Évidence au Plessis-Trévise,
le 17 avril 2003.
Dépôt légal : avril 2003.
1er dépôt légal : mai 1971.
Numéro d'imprimeur : 1910.

ISBN 2-07-027939-1/Imprimé en France.

123770